はじめに

　本書は、第二外国語としてアラビア語を学ぶ大学生や、アラビア語の基礎を学んでみたいという人を読者に想定しています。

　国内のアラビア語学習者は年々増加しているようで、第二外国語としてアラビア語を教える大学も増えてきました。しかし、既存の教科書の中には、第二外国語としてアラビア語に触れる人にとっては、内容が詳しすぎるものが少なくありませんでした。

　本書は、忙しい学習者が文法の学習に挫折してしまわないように、発展的内容や例外事項には深入りせずに、初学者がまず押さえるべき基礎中の基礎の部分のみを集中的に解説しています。あきらめずに、一通りの基礎をまずは習得してほしい。そのような想いから本書は書かれています。

　その他、本書には次のような工夫をほどこしてあります。

◆ 大きなアラビア文字

　アラビア語の学習者が最初につまづいてしまうのがアラビア文字です。本書は、アラビア語の部分をなるべく大きなフォントにして、慣れない文字が少しでも読みやすくなるように配慮しています。

◆ 見やすいページデザイン

　ひとつの文法事項についての説明は、見開きで 2 ページか 4 ページに収めてあります。ページをめくらずに、文法事項を確認しながら練習問題に取り組むことができます。

◆ 単語の意味を各課に記載

　各課に登場する単語は、既出の単語も含め、右側のページの端にリストアップしてあります。既出単語の意味を調べるために、いちいち別のページを開く必要がありません。

◆ ちょうどよい練習問題

各課の練習問題は、文法事項の基礎を身につけるために適度な難易度に設定
してあります。

読者の皆さんが、本書を通して無理なく初級文法を身につけ、次の段階に進ん
でいかれることを願っています。

著者

なお、音声は下記のサイトよりダウンロードいただけます。
https://nufs-up.jp （名古屋外国語大学出版会HP）

本書で学ぶアラビア語について

アラビア語は、母語話者数3億人を誇り、国連公用語のひとつにも指定されて
いる世界的な大言語です。主に西アジア・北アフリカに広がる二十数か国で主要
言語となっています。

アラビア語には大きくわけて、公的な場・媒体で使われる傾向の強いフスハー
（正則語）と、日常会話で使われる傾向の強いアーンミーヤ（通俗語）の2つの
スタイルがあります。

アーンミーヤとフスハーは、文法レベルでも単語レベルでも違いがあります
（もちろん、両者は完全に別のものというわけではありません）。また、アーン
ミーヤは地域ごとの違いも小さくありません。

本書では、基本となるフスハーの文法・単語を採用します。ある程度フスハー
を学べば、地域ごとのアーンミーヤを学ぶのはそれほど難しくありません。

目次

1 アラビア文字のしくみ

🔆01

> アラビア文字は、右から左に読み書きします。

> アラビア文字は、①語頭／②単語の途中／③語末で形が変わります。

語末の形　　　　　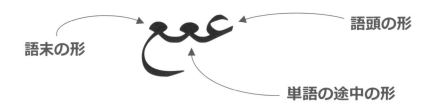　　　　　語頭の形

単語の途中の形

◆ ここには、「ع」（アイン）という文字が3つつなげて書かれています。単語の最初に書くとき、単語の途中に書くとき、単語の最後に書くときで、文字の形が違うことが分かります。詳しくは第2課で説明します。

> 文字の上と下に、発音記号を付けます。

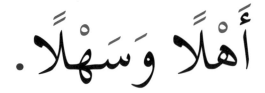

◆ 基本的に、アラビア文字は子音のみを表します。母音は、おのおのの文字の上や下に発音記号を振ることによって示します。

◆ この文では、青く書いてある部分が発音記号で、黒く書いてある部分が文字です。発音記号については第5課で説明します。

1

基本的に、ひとつの単語をひとまとまりでつなげて書きます。

④ ③ ② ①

◆ この文章は、4つの単語から成っています。単語と単語の間にはスペースが入ります（英語と同じです）。

基本となる母音は「ア」「イ」「ウ」の3つだけです。

◆ アラビア語の母音は、「ア」「イ」「ウ」の3つと、この3つが長母音化した「アー」「イー」「ウー」、および、「アウ」「アイ」という二重母音だけです。（➡第5課、第6課）

まず、アラビア文字を覚えましょう。次のページから、アラビア文字の形を一文字ずつ解説していきます。本書の巻末には文字の一覧表がありますので、そちらも活用して下さい。

2

2 アラビア文字の書き方と発音(1/5)

🔊02

語末	語中	語頭	独立文字	
	つなげない	つなげない		アリフ
ل	ل	١	١	

ハムザ（➡14ページ）や発音記号が付くことで、「ア」「イ」「ウ」という発音になります。また、「バー」「ター」「サー」といったア行の長母音を作るときにも必要です（➡第6課）。

語末	語中	語頭	独立文字	
ب	ب	ب	ب	バー

日本語のバ行の子音、英語のbの音です。
日本語を母語とする人が発音すると、弱い音（パ行に近い音）になることもあるので、しっかりbの音で発音しましょう。

語末	語中	語頭	独立文字	
ت	ت	ت	② ت ①	ター

日本語の「タ」「テ」「ト」の子音、英語のtの音です。

3

◆ 「独立文字」はその文字を単体で書く場合の形、「語頭」は単語の最初に書く形、「語中」は単語の途中に書く形、「語末」は単語の最後に書く形を表します。

◆ 青色の太い矢印は、文字を作る線を引く方向・順番（書き順）を示しています。

語末	語中	語頭	独立文字	サー
ثـ	ـثـ	ثـ	ث	

舌の上の面の前方を上の前歯の先に付けて発音する音。英語の thirsty の th と同様の摩擦音です。

語末	語中	語頭	独立文字	ジーム
ج	ـجـ	جـ	ج	

舌を上あごに付けて発音する「ジャ」「ジ」「ジュ」（「ヂャ」「ヂ」「ヂュ」）の子音です。

語末	語中	語頭	独立文字	ハー
ح	ـحـ	حـ	ح	

のどの奥を狭め、摩擦させて出す h の音です。
のどの奥から発音するイメージを持ちましょう。

4

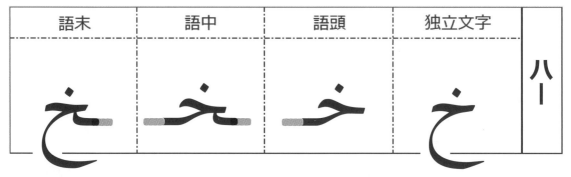

語末	語中	語頭	独立文字	ハー

口の奥から出す kh の音です。のどに絡んだ痰をだすときの「カーッ」という音に似ています。

語末	語中	語頭	独立文字	ダール
	つなげない	つなげない		

日本語の「ダ」「ディ」「ドゥ」の子音、英語のdの音です。

語末	語中	語頭	独立文字	ザール
	つなげない	つなげない		

舌の上の面の前方を上の前歯の先に付けて発音する音。英語の they の th と同様の摩擦音です。

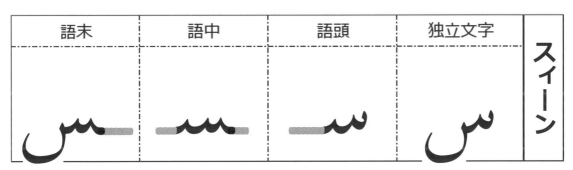

語末	語中	語頭	独立文字	ラー
ｱ	つなげない ↓ ｱ	つなげない ↓ ｱ	ｱ	

上あごの比較的前方に舌先を付けて発音する、ソフトな巻き舌の r 音です。英語の r で発音しても通じますが、異なる音です。日本語の平均的な「ラ」「リ」「ル」でも通用します。

語末	語中	語頭	独立文字	ザーイ
ｽ	つなげない ↓ ｽ	つなげない ↓ ｽ	ｽ	

英語の z の音です。

語末	語中	語頭	独立文字	スィーン
ﺲ	ﺴ	ﺳ	س	

英語の s の音です。

6

🔊04

語末	語中	語頭	独立文字	シーン
ـش	ـشـ	شـ	ش	

英語の sh の音です。

語末	語中	語頭	独立文字	サード
ـص	ـصـ	صـ	ص	

重くこもった s の音です。舌を少しこわばらせ、舌と上あごの間を狭めた状態
で s 音を出し、こもった発音にします。

語末	語中	語頭	独立文字	ダード
ـض	ـضـ	ضـ	ض	

上の奥歯の歯茎に、舌の側面に近い部分を付けて発音する、重くこもった「ダ」
「ディ」「ドゥ」の子音です。舌の左右の側面のどちらか一方のみで発音して
も、左右同時に発音しても構いません。
方言によっては、「ザ」「ズィ」「ズ」に聞こえる音が出ることもあります。

◆ 「独立文字」はその文字を単体で書く場合の形、「語頭」は単語の最初に書く形、「語中」は単語の途中に書く形、「語末」は単語の最後に書く形を表します。

◆ 青色の太い矢印は、文字を作る線を引く方向・順番（書き順）を示しています。

語末	語中	語頭	独立文字	
ط	ط	ط	ط	ター

「ت」（t）を重くこもらせた音です。発音時、舌に力を入れてみましょう。
母音を a にするときに、「タ」よりも「ト」に近い音になるイメージで発音しましょう。

語末	語中	語頭	独立文字	
ظ	ظ	ظ	ظ	ザー

「ذ」を重くこもらせた音です。「ذ」と同様、舌の上面の前方を上の前歯の先に付けて発音します。母音を a にするときに、「ザ」よりも「ゾ」に近い音になるイメージで発音しましょう。

語末	語中	語頭	独立文字	
ع	ع	ع	ع	アイン

のどの奥を狭め、「アﾞ」と発音するときの子音です。
「ح」の音と同様に、のどの奥から発音するイメージを持ちましょう。

8

🔵05

語末	語中	語頭	独立文字	ガイン
غ	غ	غ	غ	

のどの奥を振動させて出す gh の音です。「がらがら」とうがいをするときに
出る音に似ています。のどの奥から発音するイメージを持ちましょう。

語末	語中	語頭	独立文字	ファー
ف	ف	ف	ف	

下唇と上の前歯の先を付けて発音する音です。英語の f の音です。
日本語の「フ」にならないように注意しましょう。

語末	語中	語頭	独立文字	カーフ
ق	ق	ق	ق	

上あごの奥の方で発音する q の音です。
日本語の「カ」「キ」「ク」にならないように注意しましょう。

◆ 「独立文字」はその文字を単体で書く場合の形、「語頭」は単語の最初に書く形、「語中」は単語の途中に書く形、「語末」は単語の最後に書く形を表します。

◆ 青色の太い矢印は、文字を作る線を引く方向・順番（書き順）を示しています。

語末	語中	語頭	独立文字	カーフ
ك	ك	ك	ك	

日本語のカ行の子音、英語の k の音です。

語末	語中	語頭	独立文字	ラーム
ل	ل	ل	ل	

舌の前方を、上あご前方の歯茎にやや横に広めに付けて発音します。英語ではl（エル）に該当する音です。

語末	語中	語頭	独立文字	ミーム
م	م	م	م	

日本語のマ行の子音、英語の m の音です。
ミームにはこれ以外の書き方もありますが、とりあえず1種類の書き方だけ覚えておきましょう。

06

語末	語中	語頭	独立文字	ヌーン
ن	ـنـ	نـ	ن	

日本語のナ行の子音、英語の n の音です。

語末	語中	語頭	独立文字	ハー
ـه	ـهـ	هـ	ه	

のどの最も奥から発音する h の音です。ただし、どこも摩擦させません。のどを広げてお腹から発音するイメージを持ちましょう。母音を u にするとき、上下の唇を摩擦させないように注意しましょう。

語末	語中	語頭	独立文字	ワーウ
ـو	つなげない ـو	つなげない و	و	

英語の w の音です。唇をしっかりすぼめて発音しましょう。

- 「独立文字」はその文字を単体で書く場合の形、「語頭」は単語の最初に書く形、「語中」は単語の途中に書く形、「語末」は単語の最後に書く形を表します。
- 青色の太い矢印は、文字を作る線を引く方向・順番（書き順）を示しています。

語末	語中	語頭	独立文字	
ي	ـيـ	يـ	ي	ヤ

日本語のヤ行の子音、英語の y の音です。

アラビア文字をつなげて書くときの注意事項

- 一部の文字の上／下についている点は、点以外の部分を書き終えてから書きます。例えば、بيت と書く場合は、س の部分を書いてから上下に点を打っていきます。

- 前の文字とつなげずに文字を書くときは単語の途中でも「語頭」形を用います。例えば、ي / ن / د をつなげて書く場合、دـني ではなく、دني になります。

- 前にも後ろにもつなげない場合は、独立文字の形を用います。例えば س / ر / د をつなげて書くときは درس になります。

特殊な文字

語末	語中	語頭	独立文字	ター・マルブータ
ﺔ	なし	なし	ة	

「ه」（ハー）に点を2つ付けた形の文字です。単語の最後にしか用いません。
「ت」（ター）と全く同じ発音です。
ただし、無母音で読むと「ه」（ハー）の発音になります。（➡145ページ）

語末	語中	語頭	独立文字	ラーム・アリフ
ﻼ	つなげない ﻼ	つなげない ﻻ	② ﻻ ①	

「ل」（ラーム）の後ろに「ا」（アリフ）をつなげて書くときに使う文字です。

語末	語中	語頭	独立文字	アリフ・マクスーラ
ﻰ	なし	なし	ى	

「ي」（ヤー）から点を取り除いた形の文字です。単語の最後にしか用いません。
第6課で説明するように、ア行の長母音を作ります。

◆　「独立文字」はその文字を単体で書く場合の形、「語頭」は単語の最初に書く形、「語中」は単語の途中に書く形、「語末」は単語の最後に書く形を表します。

◆　形や使う位置は特殊ですが、他の文字と同じように用いられます。必ず覚えるようにしましょう。

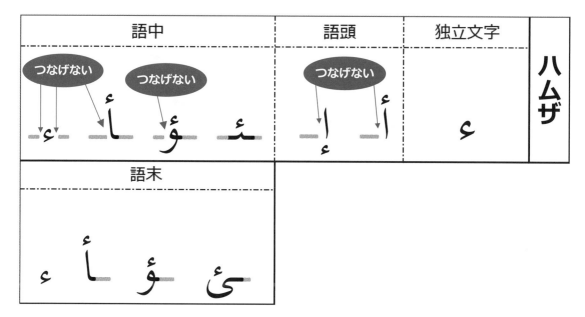

声門を閉じる音です（声門閉鎖音）。

発音記号が付くと、声門を一度閉じてから発音する「ア」「イ」「ウ」の音になります。「声門閉鎖がよくわからない」という人は、「アッアッアッ」「イッイッイッ」と言ってみて下さい。声門が閉じてから「ア」「イ」を発音しているのが実感できるでしょう。

上記の通り、ハムザにはいくつかの書き方がありますが、現時点で全て覚える必要はありません。ハムザを含む単語が出てきたときに、単語ごとに形を覚えていきましょう。

158 ページの付録に、アラビア文字をつなげて書くための練習ノートがあります。この付録を利用して、アラビア文字をつなげて書くときの形を覚えましょう。

アラビア文字の練習①

1. 例にならって、ばらばらに書かれたアラビア文字をつなげてみましょう。

(例　ب　ي　ت　ت　⟵　بيت

ك　ت　ب　⟵　(　　　　　　　　　　　)

ش　م　س　⟵　(　　　　　　　　　　　)

ض　ر　ب　⟵　(　　　　　　　　　　　)

ن　و　ر　⟵　(　　　　　　　　　　　)

ث　ل　ج　⟵　(　　　　　　　　　　　)

أ　ح　م　د　⟵　(　　　　　　　　　　　)

2．例にならって、つなげて書かれたアラビア文字を解体してみましょう。

（例）كرسي ← ك ر س ي

مدرس ← ( )

طلب ← ( )

قطة ← ( )

عين ← ( )

أنتم ← ( )

شيء ← ( )

発音記号

これまでの課で勉強したアラビア文字は、基本的に子音だけを表します。

母音は、ひとつひとつの文字に発音記号を付けることで表すことができます。

*07

母音 a	母音 i	母音 u	無母音
◌َ	◌ِ	◌ُ	◌ْ
ファトハ	カスラ	ダンマ	スクーン

بَ ： 「ب」（バー）にファトハが付いているので、「バ」（ba）。

تِ ： 「ت」（ター）にカスラが付いているので、「ティ」（ti）。

سُ ： 「س」（スィーン）にダンマが付いているので、「ス」（su）。

كْ ： 「ك」（カーフ）にスクーンが付いているので、「k」。

具体例：読んでみましょう。

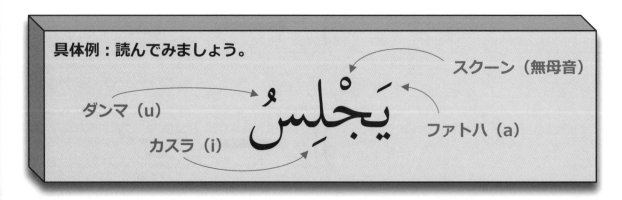

スクーン（無母音）

ダンマ（u）

カスラ（i）

ファトハ（a）

يَجْلِسُ

17

◆ 発音記号は、文字の上下に書きます。発音記号によって、母音を示したり、子音を二重にしたりすることができます。（ただし、一般の雑誌や書籍では、誤読しやすい部分を除き、発音記号は付けられません）

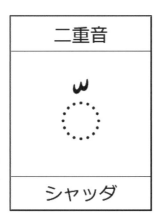

二重音
〳
シャッダ

◆ シャッダが付いた文字は、子音を二重にして読みます。
◆ シャッダは、左のページや本ページで紹介しているいずれかの発音記号と組み合わせて使います。

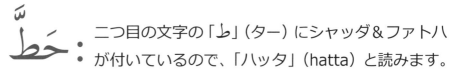 二つ目の文字の「ط」（ター）にシャッダ＆ファトハが付いているので、「ハッタ」（hatta）と読みます。

ファトハのタンウィーン	カスラのタンウィーン	ダンマのタンウィーン
an	in	un
タンウィーン（ ن 化）		

◆ 左から、「an」「in」「un」という母音を表し、単語の語末でのみ使います。
◆ 「a」「i」「u」の母音にさらに「n」の音が加わるので、「タンウィーン」（ ن 化）と呼ばれます。 ➡ タンウィーンの用法は第 8 課、第 19 課で後述します。
◆ 「ファトハのタンウィーン」を作るときのみ、発音記号だけでなく、さらに「 ا 」（アリフ）の文字を書き足す必要があります。

具体例：読んで形を覚えましょう。

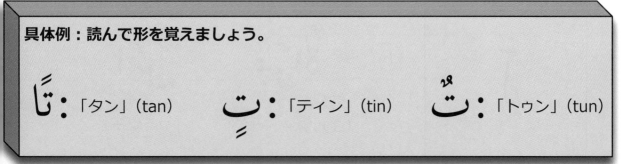

「タン」（tan）　　　「ティン」（tin）　　　「トゥン」（tun）

6 長母音・二重母音

🔊 08

ā の長母音		
اَ	ىَ	ا
アリフ	アリフ・マクスーラ	短剣アリフ

◆ ファトハ（a）の発音記号を付けた文字に「ا」（アリフ）または「ى」（アリフ・マクスーラ）をつなげるか、文字の上に「短剣アリフ」と呼ばれる記号を書くと、母音を「アー」とのばすことができます。

◆ 下の例は3つとも「ハー」と読みます。発音は全く変わりません。単語によって使う表記が異なるので、単語ごとに形を覚えましょう。

「ء」（ハムザ）の音を「アー」と伸ばす場合	◆ 「ءَ」（ハムザのファトハ）を長母音にしたい場合、「اَ」とは書かずにこの発音記号を使います。
	「ミルアートゥン」　「アーマナ」

◆ 発音記号と特定の文字を組み合わせることで、長母音や二重母音を作ることができます。

ī の長母音

◆ カスラ（i）の発音記号を付けた文字に「ي」（ヤー）を
つなげると、母音を「イー」とのばすことができます。

لِي　　　بِي　　　فِي

「リー」　　　「ビー」　　　「フィー」

ū の長母音

◆ ダンマ（u）の発音記号を付けた文字に「و」（ワーウ）を
つなげると、母音を「ウー」とのばすことができます。

لُو　　　بُو　　　فُو

「ルー」　　　「ブー」　　　「フー」

二重母音 au	二重母音 ai
وْ	يْ

مَوْ　　　مَيْ

「マイ」　　　「マウ」

1．次のアラビア文字を読んでみましょう。

09

بَ ثَ تَ	ثَ تَ بَ	نَ بَ ثَ
دَ رَ زَ	ذَ دَ زَ	رَ دَ ذَ
سَ شَ صَ	ضَ صَ سَ	يَ شَ يَ
جَ خَ حَ	غَ جَ حَ	جَ حَ جَ
قَ فَ وَ	وَ قَ فَ	قَ وَ فَ
طَ ظَ كَ	كَ طَ ظَ	لَ كَ طَ
هَ ءَ مَ	أَ مَ هَ	مَ ئَ ؤَ
يَ ئَ صَ	ضَ شَ يَ	صَ طَ ظَ

بَنَ	ثَرَ	تَبَ
يَتَ	مَوَ	دَرَ
هَقَ	عَفَ	مَهَ
غَجَ	حَخَ	جَعَ
سَمَ	لَكَ	طَكَ
رَكِبَ	كَتَبَ	ضُرِبَ
نَبَأَ	ضَلَلَ	أَكَلَ
وُجِدَ	خَرَجَ	فُتِحَ

🔊10

كِتَابٌ	جُمْعَةٌ	يَمِينًا
يُرِيدُ	بَابٌ	عِبَادًا
نَرَى	رَتَّبَ	رُكْنٌ
هٰذَا	سُمِّيَ	لَامَ

> カスラ（i）の発音記号は通常文字の下に書きますが、シャッダにカスラを組み合わせる場合、シャッダの下にカスラを書くことができます。

جَدِّهِ = جَدِّهِ

عَلَيَّ	شَمَائِلُ	نَقُومُ
اِقْرَأْ	سَجَّادَةٍ	مِيزَانًا

اِمْرَأً	لَيْلَةٌ	لُغَةٍ
مَاءً	مَشْفًى	مَرَّةً

語末をファトハのタンウィーン（an）にする場合、通常はアリフ（ا）を加えます。しかし、語末が「ة」「اء」「أ」「ى」で終わる単語の語末をファトハのタンウィーンにする場合は、アリフを挿入せずにタンウィーンの発音記号のみを付けます。

أَلْقَتْ	سَلَامٌ	فِيهِمْ
دَائِرَةٍ	كَيْدًا	مَوْتٌ
نَاظِرُونَ	سُيُوفٌ	آمِرُ
صُنْعًا	جَاءَكِ	شِئْتَ

名詞に定冠詞を付ける

とある家

> 語末の母音をタンウィーンにすると非限定になります。

その家

> ルール① 定冠詞「اَلْ」を単語の頭に付けます。

> ルール② 語末をタンウィーンではない音にします。

具体例：読んでみましょう。

> 定冠詞は単語の頭にくっつけて書きます。

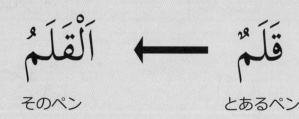

اَلْقَلَمُ ← قَلَمٌ

　　そのペン　　　　　とあるペン

> 語末の母音は「un」か「u」が基本です。

اَلْجَامِعَةُ ← جَامِعَةٌ

　　その大学　　　　　とある大学

解説

① 名詞を限定しない場合は、語末の母音をタンウィーンにします。

② 次の2つの作業を行なうと、名詞を限定し、「その〜」という意味にできます。

　　ルール①：定冠詞「اَلْ」を頭にくっつける。

　　ルール②：語末の母音をタンウィーンではない音にする。

◆ 発音記号を用いて、非限定の名詞「とある〜」を作ります。

◆ 定冠詞「アル」を用いて、限定された名詞「その〜」という表現を作ります。

1．次のアラビア語の意味を考えましょう。

① بَيْتٌ وَسَيَّارَةٌ

> 1 文字から成る単語は、次の単語の先頭にくっつけて書きます。

② اَلْبَيْتُ وَالْمَدْرَسَةُ

読まない。　　読む。

> 定冠詞「اَلْ」の「ا」は、文を読み始めるときは「ア」と発音しますが、文の途中では発音が消えます。
> このように、文の途中に置かれた発音しない「ا」には、ワスラ記号と呼ばれる記号を付けます。

2．次の日本語をアラビア語にしましょう。

① その学校と、その犬

（　　　　　　）وَ（　　　　　　　　）

② その男の子と、とある大学

（　　　　　　）وَ（　　　　　　　　）

単語チェック！

بَيْتٌ ： 家

سَيَّارَةٌ ： 車

وَ ： そして、〜と

مَدْرَسَةٌ ： 学校

覚えよう！

صـ 「ワスラ記号」

発音しないことを意味する記号。この記号がついたアリフの文字は、一切発音をしません。存在を無視しましょう。

単語チェック！

كَلْبٌ ： 犬

وَلَدٌ ： 男の子、少年

جَامِعَةٌ ： 大学

太陽文字に定冠詞を付ける

太陽文字 ت、ث، د، ذ، ر، ز، س، ش،
ص، ض، ط، ظ، ل، ن

月文字 太陽文字以外の文字

بَيْتٌ ← اَلْبَيْتُ

月文字

ルール② 単語の頭の太陽
文字にシャッダ記号を付け
て、子音を二重にします。

ルール① 定冠詞「اَلْ」
の「ل」（ラーム）の発
音が消えます。

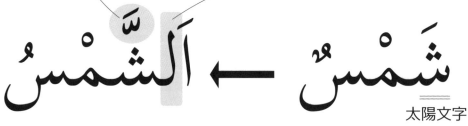

شَمْسٌ ← اَلشَّمْسُ

太陽文字

※「アッシャムス」と発音。

解説 | 先頭に太陽文字を持つ単語に定冠詞を付けると、次のような変化が起こります。
① 定冠詞「اَلْ」の「ل」（ラーム）は一切発音しない。
このとき、「ل」には発音記号を付けません。
② 先頭の太陽文字にシャッダ記号を付け、子音の発音を二重にする。

◆ アラビア文字は、「太陽文字」と「月文字」の 2 種類に分類されます。

◆ 先頭に太陽文字がくる単語に定冠詞を付けると、特別な変化が起こります。

---

1. 次のアラビア語を読んでみましょう。

① اَلزَّيْتُ   ② اَلطَّالِبُ

③ اَلْقَمَرُ وَالشَّمْسُ

どちらも読まない。

> 定冠詞「اَلْ」の「ا」（アリフ）は、文の途中では発音が消えます（第 8 課のおさらい）。
> 先頭が太陽文字の単語に定冠詞がついた場合は、さらに「ل」（ラーム）の発音も消えます。

2. 次のアラビア語に発音記号を振りましょう。

② الليلة   ① الرجل

「その夜」   「その男」

④ السكين   ③ النجم

「そのナイフ」   「その星」

単語チェック！

بَيْتٌ : 家

شَمْسٌ : 太陽

زَيْتٌ : 油

طَالِبٌ : 学生

قَمَرٌ : 月

وَ : そして、〜と

単語チェック！

رَجُلٌ : 男の人

لَيْلَةٌ : 夜

نَجْمٌ : 星

سِكِّينٌ : ナイフ

10 「ＡはＢです」の作り方

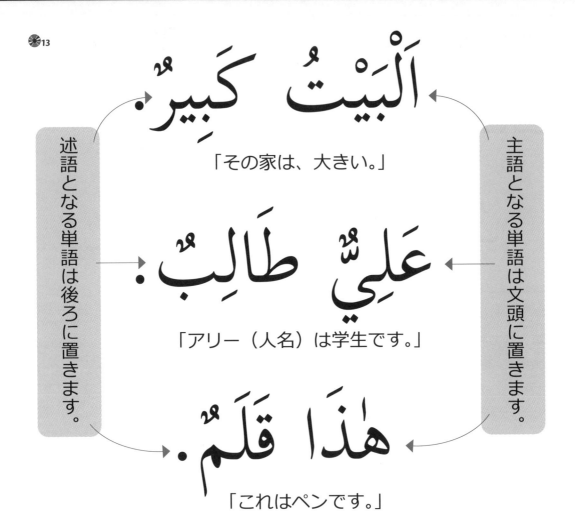

🌀13

اَلْبَيْتُ كَبِيرٌ.

「その家は、大きい。」

عَلِيٌّ طَالِبٌ.

「アリー（人名）は学生です。」

هٰذَا قَلَمٌ.

「これはペンです。」

主語となる単語は文頭に置きます。

述語となる単語は後ろに置きます。

解説　「ＡはＢです。」という文章のつくりかたはとても簡単です。

① まず、主語となる単語を文の先頭に置きます。

② 述語となる単語（形容詞や名詞）は後ろに置きます。

③ 現在形では、英語の be 動詞のようなものは必要ありません。

29

◆ 主語を最初に置き、述語を後ろに置くことで、「A は B です」という文を作ることができます。

1．次のアラビア語の意味を考えましょう。

① اَلْكَلْبُ صَغِيرٌ.

② اَلطَّالِبُ مَشْهُورٌ جِدًّا.

> 形容詞に付ける副詞は、この位置に置きましょう。

2．次のアラビア語に発音記号を振りましょう。

① الماء حار.

② الماء بارد جدا.

③ هذا بيت.

単語チェック！

بَيْتٌ : 家

كَبِيرٌ : 大きい

عَلِيٌّ : アリー（男性の人名）

طَالِبٌ : 学生

هَذَا : これ

قَلَمٌ : ペン

كَلْبٌ : 犬

صَغِيرٌ : 小さい

مَشْهُورٌ : 有名な

جِدًّا : とても

مَاءٌ : 水

حَارٌّ : 熱い、暑い

بَارِدٌ : 冷たい

11 「AはBですか？」の作り方

「これはペンです。」

「これはペンですか？。」

ルール② 疑問符を文の最後に置きます。	**ルール①** 疑問詞「هَلْ」を文頭に置きます。

解説

「AはBです。」という文章を疑問文にする方法はとても簡単です。

① まず、文の頭に疑問詞「هَلْ」を置きます。

② 文の一番最後に疑問符「؟」を置きます。

31

◆　疑問詞「ハル」を用いて、「ＡはＢですか」という疑問文を作ることができます。

1．次のアラビア語の意味を考えましょう。

① هَلْ عَلِيٌّ طَالِبٌ؟

② هَلْ هُوَ مُدَرِّسٌ؟

③ هَلِ ٱلْبَيْتُ كَبِيرٌ؟

> 定冠詞「اَلْ」の付いた単語の前に疑問詞「هَلْ」が来る場合、疑問詞の「ل」（ラーム）の母音がカスラ（i）に変化します（補助母音）。
> これは、アラビア語がスクーンの連続を嫌うためです。

2．次のアラビア語に発音記号を振りましょう。

① هل هذا بيت؟

② هل الماء بارد؟

12 　「はい」と「いいえ」

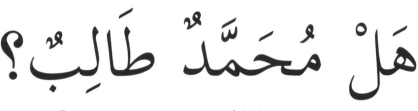

هَلْ مُحَمَّدٌ طَالِبٌ؟

「ムハンマドは学生ですか？」

「はい」

نَعَمْ، هُوَ طَالِبٌ.

「はい、彼は学生です。」

「いいえ」

لَا، هُوَ مُدَرِّسٌ.

「いいえ、彼は教師です。」

　نَعَمْ 2文字目の「ع」（アイン）の母音はファトハ（a）です。意識して、しっかり発音しましょう。

لَا 　「ل」（ラーム）に「ا」（アリフ）を続けて書く方法を、もう一度おさらいしましょう。

33

◆　「はい」と「いいえ」を覚えましょう。

1．次のアラビア語の質問に、「はい」で答えましょう。

① هَلْ أَنْتَ مُدَرِّسٌ؟

② هَلِ ٱلْبَيْتُ صَغِيرٌ؟

2．次のアラビア語の質問に、「いいえ」で答えましょう。

① هَلْ هُوَ مِصْرِيٌّ؟

② هَلِ ٱلطَّالِبُ يَابَانِيٌّ؟

> 定冠詞の「ل」（ラーム）を読まない場合も、疑問詞の発音は「hali」になります。シャッダが付いた「طّ」の音を「طْ」＋「طَ」だと考えるとわかりやすいでしょう。➡ 32ページ

単語チェック！

مُحَمَّد ： ムハンマド
（男性の人名）

طَالِبٌ ： 学生

هُوَ ： 彼

مُدَرِّسٌ ： 教師

أَنْتَ ：あなた（男）

أَنَا ： 私

بَيْتٌ ： 家

صَغِيرٌ ： 小さい

مِصْرِيٌّ ：エジプト人

يَابَانِيٌّ ： 日本人

覚えよう！

نَعَمْ ： はい

لَا ： いいえ

13 名詞に形容詞を付ける

🔊16

大きい　　　家

「（とある）大きな家」

بَيْتٌ كَبِيرٌ

ルール②　名詞が非限定の場合は形容詞も非限定にします。
名詞が限定されている場合は形容詞にも定冠詞「اَلْ」を付けて限定します。

ルール①　名詞の後ろに形容詞を付けます。

「その大きな家」

اَلْبَيْتُ اَلْكَبِيرُ

注意！　اَلْبَيْتُ كَبِيرٌ という表現は、「その家は大きい」という意味の文章になります。（➡ 29 ページ）

解説
◆ 名詞に形容詞を付けるときには、名詞の直後に形容詞を置きます。
◆ 名詞が非限定の場合は、形容詞も非限定のまま付けます。
名詞が限定されている場合は、形容詞も定冠詞で限定します。

◆　形容詞は、名詞の後ろに付けます。

１．次のアラビア語の名詞に、「大きな」という形容詞
をつけましょう。

① وَلَدٌ （　　　　）（

② اَلْوَلَدُ （　　　　）（

単語チェック！

بَيْتٌ ： 家

كَبِيرٌ ： 大きい

وَلَدٌ ： 男の子、少年

طَالِبٌ ： 学生

ذَكِيٌّ ： 賢い

２．次のアラビア語の意味を考えましょう。

① طَالِبٌ ذَكِيٌّ

② اَلطَّالِبُ ٱلذَّكِيُّ

③ اَلطَّالِبُ ذَكِيٌّ.

女性名詞の見分け方

☀17

女性名詞

جَامِعَةٌ

سَيَّارَةٌ

男性名詞

بَيْتٌ

كَلْبٌ

基本のルール 語末に「ة」（ター・マルブータ）が付いていれば女性名詞です。例外もありますが、現段階では無視します。

大部分の地名

اَلْيَابَانُ　日本

اَلْقَاهِرَةُ　カイロ

これらも女性名詞です。

身体の部位で、左右ペアのもの

يَدٌ　手

عَيْنٌ　目

女性やメスを指す名詞

أُمٌّ　母

أُخْتٌ　姉・妹

慣習上、女性名詞として扱われる単語

أَرْضٌ　土地

حَرْبٌ　戦争

37

◆ アラビア語の名詞には、男性名詞と女性名詞があります。

1．次のアラビア語の単語の中から女性名詞を選びましょう。

وَلَدٌ 少年

قَهْوَةٌ コーヒー

كَنِيسَةٌ 教会

مَكْتَبٌ 事務所

بِنْتٌ 少女

مَكْتَبَةٌ 図書館

بَيْتٌ 家

وَالِدٌ 父親

أُذُنٌ 耳

مِصْرُ エジプト

チェック！

アラビア語の文を作る際には、男性名詞と女性名詞を区別する必要があります。

名詞の性に合わせて、その名詞に対応する形容詞などの形を変化させなければならないからです。

第 16 課以降で、女性名詞についての知識が必要になります。少しづつ慣れていきましょう。

🌙18

（男子）学生

女子学生

ルール① 単語の最後の文字の母音をファトハ（a）にします。

ルール② 単語の最後に「ة」（ター・マルブータ）を付けます。

具体例：読んでみましょう。

مُسْلِمَة ← مُسْلِمٌ
女性のイスラム教徒　男性のイスラム教徒

「ة」の直前の文字の母音は必ずファトハ（a）です。

يَابَانِيَّة ← يَابَانِيٌّ
日本人（女性）　日本人（男性）

解説

◆ 人間などに用いられる名詞や形容詞は、通常の形では男性を指します。

◆ 女性を指す名詞や形容詞は、語末に「ة」（ター・マルブータ）を付けて女性形にします。「ة」の直前の文字の母音はかならずファトハ（a）にします。

◆ 女性に対して用いる名詞や形容詞は、女性形に変形させる必要があります。

1．次のアラビア語の単語を、女性形にしましょう。

 ①

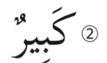 ②

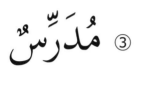 ③

 ④

2．次の日本語の会話を、話者2人が両方女性だと仮定して、アラビア語にしましょう。

Aさん：私はアメリカ人です。あなたは日本人ですか？

Bさん：いいえ、私は中国人です。あなたは学生ですか？

Aさん：はい、私は学生です。

40

「とある新しい**男子**学生」

طَالِبٌ جَدِيدٌ

↓

「とある新しい**女子**学生」

طَالِبَةٌ جَدِيدَةٌ

ルール 名詞が女性名詞の場合、それに付く形容詞も女性形にします。

「その新しい**女子**学生」

اَلطَّالِبَةُ ٱلْجَدِيدَةُ

具体例：読んでみましょう。

これまで勉強した知識を総合すると、このような文章も作れます。

「その優しい少女は、新しい学生です。」

اَلْبِنْتُ ٱللَّطِيفَةُ طَالِبَةٌ جَدِيدَةٌ.

| 述語 | 主語 |

◆　女性名詞に付ける形容詞は、女性形に変形させます。

1. 次のアラビア語の意味を考えましょう。

① طَالِبَةٌ ذَكِيَّةٌ

② اَلطَّالِبَةُ اَلذَّكِيَّةُ

③ اَلطَّالِبَةُ ذَكِيَّةٌ.

2. 次の日本語をアラビア語にしましょう。

① とある背の高い女子学生

② その背の高い女子学生

③ その女子学生は、<u>背が高い。</u>

④ その背の高い女子学生は、<u>賢い。</u>

> これらの単語は名詞に直接付く用例ではありませんが、主語の女性名詞に対する述語として用いられているので、元の形に「ة」を付けて女性形にします。忘れがちなので気を付けましょう。

単語チェック！

طَالِبٌ : 学生

جَدِيدٌ : 新しい

بِنْتٌ : 少女

لَطِيفٌ : 優しい

ذَكِيٌّ : 賢い

طَوِيلٌ : 背が高い、長い

「これ」と「あれ」

🌀20

	これ	あれ
男性	هٰذَا	ذٰلِكَ
女性	هٰذِهِ	تِلْكَ

ルール 指し示したい名詞の性に合わせて使い分けます。

具体例：読んでみましょう。

هٰذَا كِتَابٌ وَذٰلِكَ بَيْتٌ.

「これは本で、あれは家です。」

名詞の性に注目！

هٰذِهِ سَيَّارَةٌ وَتِلْكَ دَرَّاجَةٌ.

「これは車で、あれは自転車です。」

◆　「これ」と「あれ」を覚えましょう。

1．日本語に合わせて、カッコを埋めましょう。

① あれは犬です。　كَلْبٌ（　　　　　　）．

② これは大学ですか？

جَامِعَةٌ؟（　　）（　　）

③ あれは教会です。

كَنِيسَةٌ．（　　　　　　）

2．次のアラビア語の意味を考えましょう。

① هٰذَا أَحْمَدُ وَهٰذِهِ فَاطِمَةُ．

② تِلْكَ سَيَّارَةٌ كَبِيرَةٌ．

単語チェック！

كِتَابٌ ：本

وَ ：～と、そして

بَيْتٌ ：家

سَيَّارَةٌ ：車

دَرَّاجَةٌ ：自転車

كَلْبٌ ：犬

جَامِعَةٌ ：大学

كَنِيسَةٌ ：教会

أَحْمَدُ ：アフマド
（男性の人名）

فَاطِمَةُ ：ファーティマ
（女性の人名）

كَبِيرٌ ：大きい

🔊21

◆ よく使うあいさつの表現を丸暗記してしまいましょう。

「こんにちは！」「ようこそ！」　　　مَرْحَبًا.

◆ 友人同士で交わすラフなあいさつです。短い表現なので、すぐに覚えられます。仲の良くなったアラブ人に言ってみましょう。

―――――――――――――――――

「ようこそ！」「いらっしゃい！」　　　أَهْلًا (وَسَهْلًا).

◆ 「マルハバン」と同じように使うラフなあいさつです。

◆ その場所にもともといた人が、その場所に新たにやって来た人に対して言うことが多いので、店主がお客さんに言うことがあります。

◆ 合流した友人を「アハラ〜〜ン！」と言って迎えてあげれば、その友人に歓迎の気持ちが伝わるでしょう。

―――――――――――――――――

「おはよう（ございます）。」　　　صَبَاحُ ٱلْخَيْرِ.

【返答】「おはよう（ございます）。」　　　صَبَاحُ ٱلنُّورِ.

◆ 先にあいさつする人は「サバーフル・ハイル」（「良いことの朝」）と言い、返事をする人は「サバーフン・ヌール」（「光の朝」）と言います。

―――――――――――――――――

「こんばんは。」

مَسَاءُ ٱلْخَيْرِ.

【返答】「こんばんは。」

مَسَاءُ ٱلنُّورِ.

◆ 先にあいさつする人は「マサーウル・ハイル」（「良いことの晩」）と言い、返事をする人は「マサーウン・ヌール」（「光の朝」）と言います。

「平安をあなたたちの上に。」

اَلسَّلَامُ عَلَيْكُمْ.

【返答】
「そしてあなたたちの上に平安を。」

وَعَلَيْكُمُ ٱلسَّلَامُ.

◆ イスラム教徒同士のあいさつです。アラブ人だけでなく、世界中の多くのイスラム教徒が使います。

◆ 最初にあいさつする人は「アッサラームアライクム」と言い、返事をする人は「ワアライクムッサラーム」と言います。

◆ ここに挙げたあいさつ以外にも、地域や個人の趣向に応じてさまざまなあいさつのバリエーションがあります。

◆ アラブ諸国に行ったときには、ぜひその地域特有のあいさつを覚えてみましょう。

18 「この〜」「あの〜」の作り方

🔊22

「この家」

هٰذَا ٱلْبَيْتُ

男性名詞 ⎿→ 男性に用いる「これ」

ルール① 「これ」「あれ」を先頭に置き、定冠詞「ٱل」付きの名詞を続けて置きます。

ルール② 名詞の性に合わせて「あれ」「これ」を使い分けます。

具体例：読んでみましょう。

名詞の性に注目！

「この大学」 هٰذِهِ ٱلْجَامِعَةُ

「あの車」 تِلْكَ ٱلسَّيَّارَةُ

解説

◆ 「これ」「あれ」に定冠詞「ٱل」付きの名詞を続けると、「この〜」「あの〜」という表現になります。

◆ 「これ」や「あれ」の部分は名詞の性に合わせます。

◆ 「これ」と「あれ」という単語を用いて、「この〜」、「あの〜」という表現を作ることができます。

1. 次の日本語をアラビア語にしましょう。

① この犬とあの犬

② あの大学とこの女子学生

2. 次のアラビア語の意味を考えましょう

① هٰذِهِ ٱلْمُدَرِّسَةُ لَطِيفَةٌ.

② هَلْ هٰذَا ٱلْكِتَابُ جَيِّدٌ؟

長母音に定冠詞が続く場合の発音変化

◆ 長母音の直後に定冠詞が続く場合、長母音の部分の発音が短くなり、短母音になります。

◆ 例えば、 هٰذَا ٱلْبَيْتُ は「ハーザールバイトゥ」ではなく「ハーザルバイトゥ」、 فِي ٱلْبَيْتِ は「フィールバイティ」ではなく「フィルバイティ」と発音します。

単語チェック！

بَيْتٌ : 家

جَامِعَةٌ : 大学

سَيَّارَةٌ : 車

كَلْبٌ : 犬

وَ : 〜と、そして

طَالِبٌ : 学生

مُدَرِّسٌ : 教師

لَطِيفٌ : 優しい

كِتَابٌ : 本

جَيِّدٌ : 良質の、良い

فِي : 〜の中（前置詞）

主格・属格・対格

23

	非限定の場合	限定の場合
主格	بَيْتٌ	اَلْبَيْتُ
属格	بَيْتٍ	اَلْبَيْتِ
対格	بَيْتًا	اَلْبَيْتَ

◆ 形容詞と名詞は、「主格」「属格」「対格」の３つの形に変化します。

◆ それぞれの格は、上の表のように語末を変化させて作ります。

◆ いつ、どの格に変化させるかは、これから少しずつ学んでいきます。

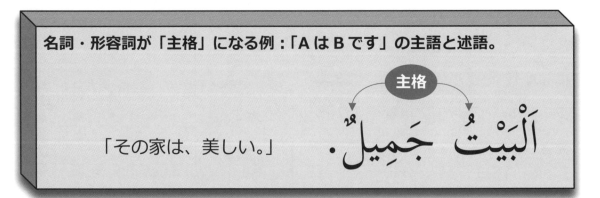

名詞・形容詞が「主格」になる例：「A は B です」の主語と述語。

主格

「その家は、美しい。」　اَلْبَيْتُ جَمِيلٌ.

◆　アラビア語の名詞や形容詞は、主格・属格・対格という三つの形に変形します。

名詞・形容詞が「属格」になる例：前置詞がかかる単語。

属格

「彼はその家の前にいます。」　هُوَ أَمَامَ ٱلْبَيْتِ.

前置詞「～の前」

◆　日本語で「～の」の意味になる場合、「属格」になることが
　　多いです。
◆　前置詞の使い方は、次のページの第 20 課「前置詞の使い
　　方」で説明します。

前置詞の使い方は、次のページの第 20 課

単語チェック！

بَيْتٌ：家

جَمِيلٌ：美しい

هُوَ：彼

名詞・形容詞が「対格」になる例：動詞の目的語。

対格

「彼はリンゴを食べました。」　أَكَلَ تُفَّاحَةً.

◆　日本語で「～を」の意味になる場合、「対格」になることが
　　多いです。

أَمَامَ：～の前

أَكَلَ：(彼は) 食べた

تُفَّاحَةٌ：リンゴ

50

20 前置詞の使い方

⊛24

その家　　　前（前置詞）　　その男

اَلرَّجُلُ أَمَامَ ٱلْبَيْتِ.

ルール②　「前置詞が
かかる名詞」は、語末
の母音を属格にしま
す。

ルール①　（「主語」
➡)「前置詞」➡「前置
詞がかかる名詞」の順
に並べます。

اَلرَّجُلُ أَمَامَ بَيْتٍ.

とある家　　　前（前置詞）　　その男

限定されていなければタンウィーンのカスラ（in）、限定されてい
ればタンウィーンではないカスラ（i）にします。

解説
◆ 英語同様、前置詞を先に置き、その次に前置詞がかかる単語を置きます。
◆ 前置詞がかかる名詞は「属格」になります。（➡ 49 ページ）

51

◆ 前置詞は、英語と同じように、前置詞がかかる単語の直前に置きます。

1. 下線部の単語に、発音記号を振りましょう。

① اَلْقِطَّةُ تَحْتَ الطاولة.

「その猫は、そのテーブルの下にいる。」

② هِيَ فِي بيت.

「彼女は、とある家の中にいる。」

③ هِيَ أَمَامَ الرجل.

「彼女は、その男の前にいる。」

2. 次の日本語をアラビア語にしましょう。

① 私は、とある大学の前にいます。

(　　　　) (　　　　) (　　　　).

② 私は、その大学の前にいます。

(　　　　) (　　　　) (　　　　).

単語チェック！

رَجُلٌ : 男

أَمَامَ : 前（前置詞）

بَيْتٌ : 家

قِطَّةٌ : ネコ

تَحْتَ : 下（前置詞）

طَاوِلَةٌ : テーブル

هِيَ : 彼女

فِي : 中（前置詞）

أَنَا : 私

جَامِعَةٌ : 大学

✺25

その家　　　　　　　　　扉

بَابُ الْبَيْتِ.

「その家の扉」

〜の

ルール② 名詞の後ろに属格の名詞をつなげると、「AのB」という表現になります。

ルール① 前に置く名詞には定冠詞を付けません。また、語尾はタンウィーンではない形にします。

具体例：読んでみましょう。

قَلَمُ الطَّالِبِ 「その学生のペン」

属格にして、従属させます。

كَلْبُ رَجُلٍ 「とある男の犬」

解説	◆ 名詞に名詞を付ける複合名詞は、主たる名詞を前に置き、従属する方の名詞を属格にして後ろに付けることで作ることができます。
	◆ 前に置く主たる名詞の語末はタンウィーンにせず、かつ定冠詞を付けません。

◆ 名詞の後ろに属格の名詞を置くと、複合名詞を作ることができます。

1．次のアラビア語の意味を考えましょう。

① بَيْتُ ٱلطَّالِبِ

② بَيْتُ طَالِبٍ

③ قَلَمُ ٱلطَّالِبَةِ

2．次の日本語をアラビア語にしましょう。

① とある女子学生の大学

（　　　　　　　）（　　　　　　　　）

② その女子学生の大学

（　　　　　　　）（　　　　　　　　）

③ とある大学の女子学生

（　　　　　　　）（　　　　　　　　）

２２ 「ＡはＢではありません」

「アフマドは学生ではありません。」

لَيْسَ أَحْمَدُ طَالِبًا.

ルール② 述部が名詞か形容詞の場合、述部を対格にします。

ルール③ 述部が前置詞句の場合は、対格にしません。

ルール① 主語が男性の場合は「ライサ」、女性の場合は「ライサト」を文頭に置きます。

لَيْسَتْ فَاطِمَةُ أَمَامَ ٱلْبَيْتِ.

「ファーティマは家の前にはいません。」

解説	
	◆ 否定辞「لَيْسَ」（ライサ）を「ＡはＢです」の文章の先頭に置けば、「ＡはＢではありません」という否定文になります。
	◆ 主語が女性の場合は「لَيْسَ」（ライサ）を「لَيْسَتْ」（ライサト）の形にします。
	◆ 述部が名詞か形容詞の場合は述語を対格にします。述部が前置詞句の場合は、前置詞がかかる名詞は属格のまま変化させません。

◆ 否定辞「ライサ」を用いて、「AはBではない」という否定文を作ることができます。

1. カッコに適切な単語を入れましょう。

① ( ) ( ) اَلْبَيْتُ جَدِيدًا.

「その家は新しくありません。」

② ( ) ( ) فَاطِمَةُ طَالِبَةً.

「ファーティマは学生ではありません。」

③ لَيْسَتِ اَلْبِنْتُ فِي ( ).

「その少女はその家の中にはいません。」

> 「لَيْسَتْ」の次に定冠詞「اَل」が続く場合、「لَيْسَتْ」の語末に補助母音が発生し、「لَيْسَتِ」となります。この補助母音は、スクーンの音が連続することを避けるために発生したものです。

2. 次の日本語をアラビア語にしましょう。

① その女子学生は、その少女の前にはいません。

② その大学は、新しくありません。

単語チェック!

أَحْمَدُ : アフマド（男）

طَالِبٌ : 学生

فَاطِمَةُ : ファーティマ（女）

أَمَامَ : 前（前置詞）

بَيْتٌ : 家

覚えよう!

否定辞	男	لَيْسَ
	女	لَيْسَتْ

単語チェック!

جَدِيد : 新しい

بِنْتٌ : 少女

فِي : 中（前置詞）

جَامِعَةٌ : 大学

集中講義②：初対面で使う表現

🌀27

◆ 初対面の人と話すときに使う表現を覚えましょう。

「ご出身は？」 مِنْ أَيْنَ أَنْتَ؟
（から）（どこ）（あなた）

「日本出身です。」 أَنَا مِنَ ٱلْيَابَانِ.
（私）（から）（日本）

◆ 女性に出身をたずねるときは、「أَنْتَ」の部分を、女性に対して使う「أَنْتِ」 に変えましょう。

_____

「あなたの名前は？」 مَا ٱسْمُكَ؟
（何）（あなたの名前）

◆ 「マスムカ？」と発音します。

◆ 女性に名前をたずねるときは、「كَ」（あなたの）の部分を、女性に対して使う「كِ」に変えて、「マスムキ？」と言います。

「私の名前は～です。」 إِسْمِي ——.
（私の名前）

_____

「お元気ですか？」
（あなたの状態）　（how）

「私は元気です。」 أَنَا بِخَيْرٍ.
（良好である）　（私）

◆　女性に元気かどうかたずねるときは、「كَ」（あなたの）の部分を、女性に対して使う「كِ」に変えます。

「ありがとう。」 شُكْرًا.

「どういたしまして。」 عَفْوًا.

「すみません…」 لَوْ سَمَحْتَ...
（あなたが許す）（もし〜なら）

◆　人に声をかけるときに使えます。
◆　女性に対して使うときは、「تَ」の部分を、女性に対して使う「تِ」に変えます。

🌀28

第 11 課で、文頭に付ける疑問詞「هَلْ」を学びました。

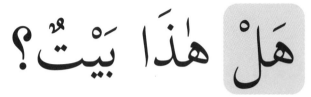

「これは家ですか？」

しかし、「هَلْ」は肯定文を疑問文にするときにしか使えません。
そのため、下のような否定疑問文を作ることはできません。

「アフマドは学生**ではありません**か？」

否定疑問文は、別の疑問詞「أَ」を使って作ることができます。

ルール　「هَلْ」と同様、疑問詞「أَ」を文頭に置きます。なお、
1 文字から成る単語は次の単語にくっつけて（スペースを空けず
に）書きます。**また、「أَ」は肯定文にも付けることができます。**

◆　否定疑問文を作る疑問詞「ア」を覚えましょう。

1．次のアラビア語の意味を考えましょう。

① أَلَيْسَتِ ٱلْبِنْتُ طَالِبَةً؟

② أَلَيْسَ أَحْمَدُ وَرَاءَ ٱلْبَيْتِ؟

③ أَهٰذَا بَيْتٌ؟

24 否定疑問文に答える「バラー」

🌀29

第12課で、「はい」と「いいえ」について学びました。

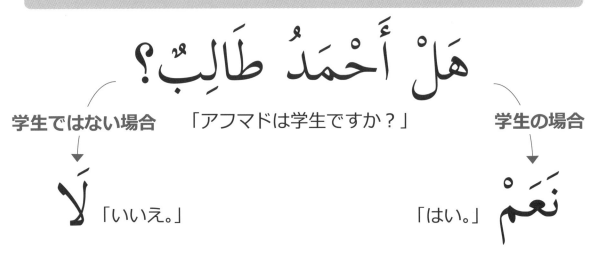

هَلْ أَحْمَدُ طَالِبٌ؟

学生ではない場合　　「アフマドは学生ですか？」　　学生の場合

لَا　　「いいえ。」　　「はい。」　نَعَمْ

しかし、否定疑問文に答えるときにはルールが異なります。

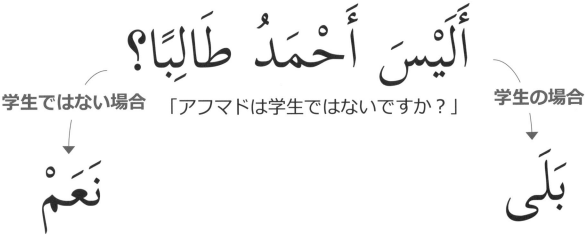

أَلَيْسَ أَحْمَدُ طَالِبًا؟

学生ではない場合　　「アフマドは学生ではないですか？」　　学生の場合

نَعَمْ　　　　　　　　　　　　　　　　　　　بَلَى

「はい（学生ではありません）。」　　　　　「いいえ（学生です）。」

解説

◆ 否定疑問文に返答するときは、否定文の部分の内容が正しければ「نَعَمْ」（はい）、否定文の部分の内容が正しくなければ「بَلَى」で答えます。

◆ 「بَلَى」は、基本的に否定疑問文の返答のときにのみ使用する「いいえ」です。

◆ 否定疑問文に答えるときには注意が必要です。

1. 次のアラビア語の意味を考えましょう。

① أَلَيْسَ مُحَمَّدٌ مُجْتَهِدًا؟

- بَلَى، هُوَ مُجْتَهِدٌ جِدًّا.

② أَلَيْسَ ٱلْوَلَدُ طَالِبًا؟

- نَعَمْ، لَيْسَ طَالِبًا.

> 主語は既出なので、わざわざもう一度主語を書く必要はありません。

単語チェック！

أَحْمَدُ: アフマド

طَالِبٌ : 学生

مُحَمَّدٌ: ムハンマド

مُجْتَهِدٌ : 勤勉な

هُوَ : 彼（は）

جِدًّا : とても

وَلَدٌ : 少年

25 双数形の主格

そうすうけい

🔊30

ルール① 語末の母音を示す記号をとります。

「（1冊の）本」 كِتَابٌ

ルール② 語末に「-āni」を付けます。

「2冊の本」 كِتَابَانِ

定冠詞が付く場合も同じルールです。

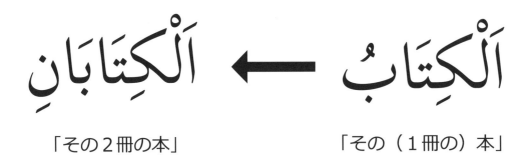

「その2冊の本」 اَلْكِتَابَانِ ← اَلْكِتَابُ 「その（1冊の）本」

解説

◆ アラビア語の名詞と形容詞は、「単数」（1つ）、「双数」（2つ）、「複数」（3つ以上）で形が変わります。

◆ 「双数形」には、「主格」のときの形と、「属格＆対格」のときの形があります。

◆ 双数形の主格は、単数形の語末の母音を示す発音記号をとって、代わりに語末に「- āni」を付けると作ることができます。

◆　アラビア語には、単数形と複数形だけではなく、2 つのものに用いる「双数形」があります。

◆　双数形には、主格の形と、属格または対格の形があります。

1．次のアラビア語の意味を考えましょう。

① قَلَمَانِ جَدِيدَانِ

> 名詞が双数形のときは、それに対応する形容詞も双数形になります。

② اَلْقَلَمَانِ ٱلْجَدِيدَانِ

③ اَلْقَلَمَانِ جَدِيدَانِ.

2．次の日本語をアラビア語にしましょう。

① その 2 冊の本は、古い。

② とある 2 冊の古い本

③ その 2 冊の古い本

※ **ヒント**：難しい場合は、いったん単数形の表現を作ってから、双数形に変えてみましょう。

単語チェック！

本：كِتَابٌ

ペン：قَلَمٌ

新しい：جَدِيدٌ

古い：قَدِيمٌ

26 ター・マルブータ付き
の単語の双数形

「（1人の）女子学生」

> **ルール** 「ة」（ター・マルブータ）を「ター」（ت）にした上で、双数形の語末にします。

「2人の女子学生」

具体例：読んでみましょう。

「とある新しい女子学生2人」 طَالِبَتَانِ جَدِيدَتَانِ

「その新しい女子学生2人」 اَلطَّالِبَتَانِ اَلْجَدِيدَتَانِ

解説 ◆ 「ة」（ター・マルブータ）が付いている単語を双数形にするときは、ター・マルブータを普通の「ت」（ター）にした上で、双数形の語末に変えます。

◆ ター・マルブータ付きの単語も、第 25 課と同じように双数形にします。

1．次のアラビア語の表現を双数形にしましょう。

① مَدْرَسَةٌ

② اَلْمَدْرَسَةُ قَدِيمَةٌ.

③ اَلْجَامِعَةُ الْجَمِيلَةُ

2．次の日本語をアラビア語にしましょう。

① とある（1 台の）車

② その（1 台の）車

③ その 2 台の車

④ その 2 台の車は古い。

⑤ （とある）2 本の新しいペンと（とある）2 つの
　　古いカバン

> なお、アラビア語では男女が混合した集団を指す場合は男性
> 形を用いますので、男子学生 1 人と女子学生 1 人のペアを指
> す場合は、「 طَالِبَانِ 」を用います。

単語チェック！

طَالِبٌ : 学生

جَدِيدٌ : 新しい

مَدْرَسَةٌ : 学校

قَدِيمٌ : 古い

جَامِعَةٌ : 大学

جَمِيلٌ : 美しい

سَيَّارَةٌ : 車

جِدًّا : とても

قَلَمٌ : ペン

حَقِيبَةٌ : カバン

وَ : ～と、そして

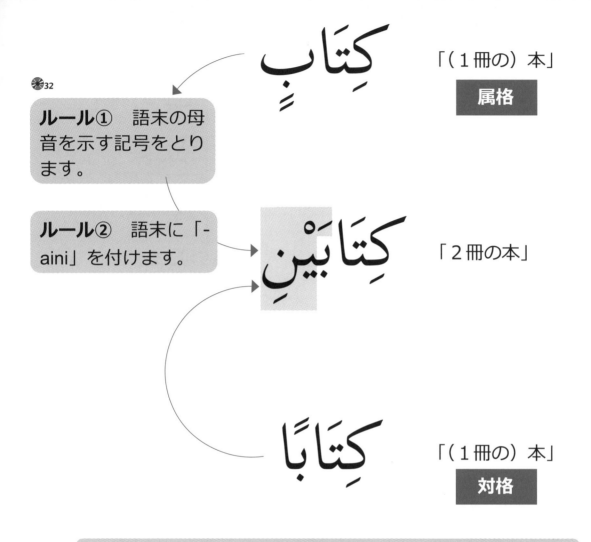

كِتَابٍ 「（１冊の）本」 属格

🎵32

ルール① 語末の母音を示す記号をとります。

ルール② 語末に「-aini」を付けます。

كِتَابَيْنِ 「２冊の本」

كِتَابًا 「（１冊の）本」 対格

定冠詞が付く場合も同じルールです。

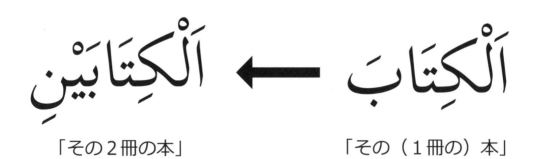

اَلْكِتَابَيْنِ ← اَلْكِتَابَ

「その２冊の本」　　　　　　　　「その（１冊の）本」

◆ アラビア語には、単数形と複数形だけではなく、2つのものに用いる「双数形」があります。

◆ 双数形には、主格の形と、属格または対格の形があります。

1．次のアラビア語を、格に注意して双数形にしましょう。

① مُدَرِّسٍ

② مُدَرِّسَةً

③ طَالِبًا جَدِيدًا

④ طَالِبَةٍ جَدِيدَةٍ

2．日本語に合わせて、カッコに適切なアラビア語を書きましょう。

① 彼女は、とある2つの家の前にいます。

هِيَ أَمَامَ ( ).

② 私はその2冊の本を買いました［目的語は対格で］。

اِشْتَرَيْتُ ( ).

単語チェック！

كِتَابٌ：本

مُدَرِّسٌ：教師

طَالِبٌ：学生

جَدِيدٌ：新しい

هِيَ：彼女

أَمَامَ：前（前置詞）

بَيْتٌ：家

اِشْتَرَيْتُ：私は買った

集中講義③：複数形の種類

⊛33
◆ 名詞と形容詞の複数形には、語尾の形を変えることで作る「語尾変化複数形」
と、単語の全体を変化させて作る「全体変化複数形」があります。

◆ 「語尾変化複数形」は男女で別の形をとり、「全体変化複数形」にはいくつも
の形があります。

◆ 男性を指す単語、女性を指す単語、モノを指す単語で事情が異なります。

男性	語尾変化	人間（または人間同様に言葉を解する生き物）の男性を指す多くの単語は、語尾変化複数。
	全体変化	語尾変化複数形をとらないその他多くの単語は、全体変化複数形をとります。
女性	語尾変化	人間（または人間同様に言葉を解する生き物）の女性を指す単語のほとんどは、語尾変化複数形。
モノ	全体変化	モノ（や動物や昆虫など）を指す単語のほとんどは、全体変化複数形。

◆ 人間の男性を示す名詞・形容詞には、「語尾変化複数形」をとる単語も「全体
変化複数形」をとる単語も多く存在します。

◆ 人間の女性を示す名詞・形容詞のほとんどは「語尾変化複数形」をとります。

◆ モノを示す名詞のほとんどは「全体変化複数形」をとります。

◆ 複数形には、語尾が変化してできる「語尾変化複数形」と、単語全体の形が変化してできる「全体変化複数形」があります。

◆ なお、本によっては、「語尾変化複数形」を「規則複数」、「全体変化複数形」を「不規則複数」や「語幹複数形」と呼ぶ場合があります。

男性の「語尾変化複数形」

◆ 男性を示す多くの単語の複数形は、語末を「ونَ」（-ūna）にして作ります。

例) مُدَرِّس （教師）➡ مُدَرِّسُونَ（教師たち）

◆ この形の複数形をとる単語には、例えば①「مُ」で始まる多くの単語／②「فَاعِلٌ」型の多くの単語／③「～人」を示す語末が「ـِيّ」で終わる単語などがあります。この３つのタイプだけでも覚えておきましょう。

◆ 例) ① مُسْلِمٌ ➡ مُسْلِمُونَ（イスラム教徒）

② نَاظِرٌ ➡ نَاظِرُونَ （見ている人）

③ صِينِيٌّ ➡ صِينِيُّونَ（中国人）

◆ なお、男女混合の集団を指す場合は男性複数として扱います。

女性の「語尾変化複数形」

◆ 女性を示すほとんど単語の複数形は語末を「اتٌ」（-ātun）にして作ります。

例) يَابَانِيَّةٌ ➡ يَابَانِيَّاتٌ （日本人女性）

جَمِيلَةٌ ➡ جَمِيلَاتٌ （美しい）

◆ 例外はわずかですので、その単語が出てきた時点で覚えれば大丈夫です。

全体変化複数形

◆ それ以外の単語は、単語全体の形を変えて複数形にします。

◆ 詳しくは、第31課で説明します。

28 男性「語尾変化複数形」の主格

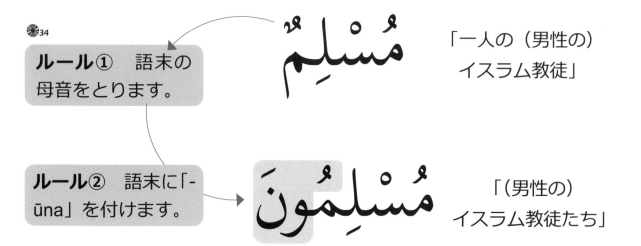

🔊34

ルール① 語末の母音をとります。

مُسْلِمٌ

「一人の（男性の）イスラム教徒」

ルール② 語末に「-ūna」を付けます。

مُسْلِمُونَ

「（男性の）イスラム教徒たち」

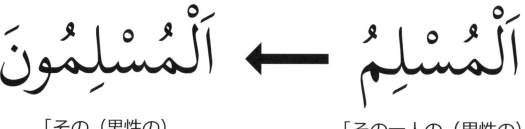

定冠詞が付く場合も同じルールです。

اَلْمُسْلِمُونَ ← اَلْمُسْلِمُ

「その（男性の）イスラム教徒たち」

「その一人の（男性の）イスラム教徒」

解説

◆ アラビア語の名詞と形容詞は、「単数」（1つ）、「双数」（2つ）、「複数」（3つ以上）で形が変わります。

◆ 男性の「語尾変化複数形」には、「主格」のときの形と、「属格＆対格」のときの形があります。

◆ 男性の「語尾変化複数形」の主格は、単数形の語末の母音を示す発音記号をとって、代わりに語末に「-ūna」を付けると作ることができます。

◆ 男性を示す名詞・形容詞のうち、多くの単語は、語尾が一定の形に変化することで複数形になります。
（➡ 70 ページ）

◆ 語尾変化複数形は、主格の形と、属格または対格の形に分かれます。

1．次のアラビア語の意味を考えましょう。

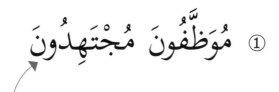

① مُوَظَّفُونَ مُجْتَهِدُونَ

名詞が複数形のときは、それに対応する形容詞も複数形になります。忘れがちなので、気を付けましょう。

② اَلْمُوَظَّفُونَ اَلْمُجْتَهِدُونَ

③ اَلْمُوَظَّفُونَ مُجْتَهِدُونَ.

2．次の日本語をアラビア語にしましょう。

① とある勤勉な日本人たち

② その勤勉な日本人たち

③ その日本人たちは、勤勉です。

※ヒント：難しい場合は、いったん単数形の表現を作ってから、複数形に変えてみましょう。

単語チェック！

مُسْلِمٌ : イスラム教徒

مُوَظَّفٌ : 従業員、職員

مُجْتَهِدٌ : 勤勉な

يَابَانِيٌّ : 日本人

35

ルール① 語末の
母音をとります。

مُسْلِمٍ

「一人の（男性の）
イスラム教徒」

属格

ルール② 語末に「-
īna」を付けます。

مُسْلِمِينَ

「（男性の）
イスラム教徒たち」

مُسْلِمًا

「一人の（男性の）
イスラム教徒」

対格

定冠詞が付いた名詞も同じルールです。

اَلْمُسْلِمِينَ ← اَلْمُسْلِمِ

解説 | ◆ 男性の「語尾変化複数形」の属格＆対格は、単数形の語末の母音を示す発音記号
をとって、代わりに語末に「-īna」を付けると作ることができます。

◆ 男性を示す名詞・形容詞のうち、多くの単語は、語尾が一定の形に変化することで複数形になります。
（➡ 70 ページ）

◆ 語尾変化複数形は、主格の形と、属格または対格の形に分かれます。

---

1. 次のアラビア語を、格に注意して複数形にしましょう。

① مُدَرِّسًا

② اَلْمُدَرِّسِ

③ مُدَرِّسٍ يَابَانِيٍّ

2. 次のアラビア語の意味を考えましょう。

① لَيْسَ اَلْمُدَرِّسُونَ يَابَانِيِّينَ.

② أَحْمَدُ أَمَامَ اَلْمُدَرِّسِينَ.

③ لَيْسَ اَلْمُدَرِّسُونَ اَلْيَابَانِيُّونَ مُجْتَهِدِينَ.

単語チェック！

مُسْلِمٌ：イスラム教徒

مُدَرِّسٌ：教師

يَابَانِيٌّ：日本人

أَحْمَدُ：アフマド

أَمَامَ：〜の前（前置詞）

لَيْسَ：【否定辞】

مُجْتَهِدٌ：勤勉な

🔊36

非限定

主格

مُسْلِمَةٌ ← مُسْلِمَاتٌ

語末はタンウィーンに。

مُسْلِمَةٍ
مُسْلِمَةً ← مُسْلِمَاتٍ

属格　対格

◆ 非限定の場合と限定の場合で、語末の母音が変わります。
◆ 主格の形と、属格または対格の形にわかれます。

限定

主格

اَلْمُسْلِمَةُ ← اَلْمُسْلِمَاتُ

語末をタンウィーンにしません。

اَلْمُسْلِمَةِ
اَلْمُسْلِمَةَ ← اَلْمُسْلِمَاتِ

属格　対格

◆ 女性を示す名詞・形容詞のほとんどは、語尾が一定の形に変化することで複数形になります。

（➡ 70 ページ）

1．次のアラビア語を、限定／非限定、および格に注意して複数形にしましょう。

① مُدَرِّسَةٌ

② مُدَرِّسَةٍ لَطِيفَةٍ

③ اَلْمُدَرِّسَةُ اَللَّطِيفَةُ

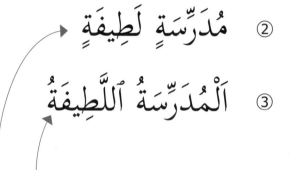

> 名詞が複数形のときは、それに対応する形容詞も複数形になります。忘れがちなので、気を付けましょう。

2．次の日本語をアラビア語にしましょう。

① その女性教師たちは優しい。

② その女性教師たちは優しくありません。

※ 第 22 課を見て、主語が女性の場合の否定文の作り方を確認しましょう。

مُسْلِمٌ ： イスラム教徒

مُدَرِّسٌ ： 教師

لَطِيفٌ ： 優しい

🔆37

◆ 「集中講義③」で見たように、男性を示す多くの名詞・形容詞、モノを示す名詞・形容詞のほとんどは、語末ではなく、単語の形全体が変化する複数形をとります。

◆ これを、このテキストでは「全体変化複数形」と呼びます。

◆ 「全体変化複数形」には、いくつかの型（パターン）があります。

◆ ただし、どの単語がどの型の複数形をとるのかは、一概には判断できません。新しい単語が出てきたときには、その複数形も同時に覚えておく必要があるのです。

أَفْعَال 型		
単数形	وَلَدٌ 少年	قَلَمٌ ペン
複数形	أَوْلَادٌ	أَقْلَامٌ

فُعُول 型		
単数形	بَيْتٌ 家	مَلِكٌ 王
複数形	بُيُوتٌ	مُلُوكٌ

◆ 男性を示す単語の多く、およびモノを示す単語のほとんどは、全体変化複数形になります。

فُعُل 型			
単数形	كِتَابٌ	本	جَدِيدٌ	新しい
複数形	كُتُبٌ		جُدُدٌ	

فِعَالٌ 型			
単数形	كَبِيرٌ	大きい	رَجُلٌ	男の人
複数形	كِبَارٌ		رِجَالٌ	

◆ いずれの型も、最初に ف、ع、ل の3文字で形を示しています。

◆ この3文字は、「فَعَل する」という動詞からとられています。

◆ アラビア語の文法では、この3つの子音で単語の型などを例示するのが一般的です。

「全体変化複数形」（2/2）

🌀38

فَعَالِلُ 型		
単数形	レストラン مَطْعَمٌ	ホテル فُنْدُقٌ
複数形	مَطَاعِمُ	فَنَادِقُ

فُعَلَاءُ 型		
単数形	古い、昔の قَدِيمٌ	貧しい فَقِيرٌ
複数形	قُدَمَاءُ	فُقَرَاءُ

أَفْعِلَاءُ 型		
単数形	友人 صَدِيقٌ	裕福な غَنِيٌّ
複数形	أَصْدِقَاءُ	أَغْنِيَاءُ

◆ 男性を示す単語の多く、およびモノを示す単語のほとんどは、全体変化複数形になります。

فُعَّال 型		
単数形	学生　طَالِبٌ	作家　كَاتِبٌ
複数形	طُلَّابٌ	كُتَّابٌ

◆ 複数形の型はこれが全てではありません。これ以外の型も存在します。

◆ 型を覚えようとするのではなく、具体的な単語を覚えるようにしましょう。
そうすれば、自然と型も覚えられます。

１．ヒントを参考にして、次の単語の複数形を作りましょう。

① سَعِيدٌ　幸せな　※ヒント：فُعَلَاءُ 型の複数形をとります。

② دَفْتَرٌ　ノート　※ヒント：فَعَالِلُ 型の複数形をとります。

③ وَلَدٌ يَابَانِيٌّ　日本人の少年　※ヒント：「少年」は全体変化複数形。

④ طَالِبٌ مُجْتَهِدٌ　勤勉な学生　※ヒント：「学生」は全体変化複数形。

指示詞（これ・これら）

🌀39

これ・これら／この・これらの

	単数	双数【主格】	双数【属格＆対格】	複数
男性	هٰذَا	هٰذَانِ	هٰذَيْنِ	هٰؤُلَاءِ
女性	هٰذِهِ	هَاتَانِ	هَاتَيْنِ	

あれ・あれら／あの・あれらの

	単数	双数【主格】	双数【属格＆対格】	複数
男性	ذٰلِكَ	ذَانِكَ	ذَيْنِكَ	★ أُولٰئِكَ
女性	تِلْكَ	تَانِكَ	تَيْنِكَ	

★ そのまま読むと「ウーラーイカ」になりますが、この単語は「و」を無視して「ウラーイカ」
と読みます。

解説
◆ 第17課で学んだ「これ」と「あれ」（指示詞）には、単数形だけではなく双数形と複数形があります。指示する対象の数に合わせて使い分けます。
◆ 双数形に限り、「主格として使うときの形」と「属格あるいは対格として使うときの形」が異なります。

◆ 「これ」と「あれ」には、双数形と複数形があります。

具体例：読んでみましょう。

「この（1人の）少年」 هٰذَا ٱلْوَلَدُ

「この2人の少年たち」【主格】 هٰذَانِ ٱلْوَلَدَانِ

「この2人の少年たち」
【属格＆対格】 هٰذَيْنِ ٱلْوَلَدَيْنِ

「この少年たち」（3人以上） هٰؤُلَاءِ ٱلْأَوْلَادُ

1．次の日本語をアラビア語にしましょう。

① あの（1人の）少女

② あの2人の少女たち【主格】

③ あの2人の少女たち【属格または対格】

④ あの少女たち（3人以上）

単語チェック！

وَلَدٌ : 少年
（複数形）➡ أَوْلَادٌ

بِنْتٌ : 少女
（複数形）➡ بَنَاتٌ

モノの複数は女性単数扱い

🎵40

「これらは家々です。」

هٰؤُلَاءِ بُيُوتٌ. ✕

هٰذِهِ بُيُوتٌ. ◯

「その家々は、大きい。」

اَلْبُيُوتُ كِبَارٌ. ✕

اَلْبُيُوتُ كَبِيرَةٌ. ◯

解説	◆ モノ（動物や昆虫を含む）の複数形は、文法上、女性単数として扱います。
	◆ そのため、モノの複数を指す形容詞や指示詞などの単語は、複数形にせず、女性単数形にします。
	◆ これはアラビア語の基本的かつ重要なルールなので、意識して覚えましょう。

◆　モノの複数形は、文法上、女性単数として扱います。

1．次のアラビア語の意味を考えましょう。

① سَيَّارَاتٌ كَبِيرَةٌ

② اَلسَّيَّارَاتُ اْلكَبِيرَةُ جَمِيلَةٌ.

③ هٰذِهِ سَيَّارَاتٌ.

2．次の日本語をアラビア語にしましょう。

① あれらの家々とこれらの家々

② これらの男たちとあれらの車

単語チェック！

بَيْتٌ：家
（複数形）➡ بُيُوتٌ

كَبِيرٌ：大きい
（複数形）➡ كِبَارٌ

سَيَّارَةٌ：車
（複数形）➡ سَيَّارَاتٌ

جَمِيلٌ：美しい

وَ：～と、そして

رَجُلٌ：男の人
（複数形）➡ رِجَالٌ

「 كِبَارٌ 」（「大きい」の複数形）はいつ使うのか？

◆　モノの複数に対しては、女性単数形の「 كَبِيرَةٌ 」を使うので、
複数形の「 كِبَارٌ 」は使いません。

◆　「 كِبَارٌ 」は、男性の複数形に対して用いられます。
例えば、「大きな少年たち」と言いたい場合は、「大きな」の部
分は複数形の「 كِبَارٌ 」にしなければなりません。

34

人称代名詞・分離タイプ

🔊41

	単数	双数	複数
三人称 男性	هُوَ	هُمَا	هُمْ
三人称 女性	هِيَ		هُنَّ
二人称 男性	أَنْتَ	أَنْتُمَا	أَنْتُمْ
二人称 女性	أَنْتِ		أَنْتُنَّ
一人称	أَنَا	نَحْنُ	

◆ 語頭は、三人称はどれも「ه」、二人称はどれも「أَنْتَ」で始まっています。

◆ 双数形の「彼ら2人」と「あなたたち2人」／複数形の「彼ら」と「あなたたち（男）」／「彼女たち」と「あなたたち（女）」は語末が似ています。

解説
◆ 人称代名詞には、前後の単語とは離して書く「分離タイプ」と、単語の語末につなげて書く「非分離タイプ」があります。

◆ 「分離タイプ」は、「彼は～」「私は～」との意味で、主に主語として使用します。

◆ 人称代名詞には、主語として用いる分離タイプと、「彼の〜」、「彼を〜」という意味で用いる非分離
タイプがあります。

1．次のアラビア語の意味を考えましょう。

① هُمَا مُدَرِّسَتَانِ جَدِيدَتَانِ.

② أَنْتِ طَالِبَةٌ. وَنَحْنُ طُلَّابٌ أَيْضًا.

③ هُنَّ طَالِبَاتٌ.

> 男女が混合した集団を指す場合は、男性を指す代名詞を用
> います。

2．次の日本語をアラビア語にしましょう。

① あなたたち（女）は新しい学生です。

② 彼らは新しい学生です。

③ あなたたち（男）は新しい教師です。

単語チェック！

مُدَرِّسٌ ：教師

جَدِيدٌ ：新しい
（複数形）➡ جُدُدٌ

طَالِبٌ ：学生
（複数形）➡ طُلَّابٌ

وَ ：〜と、そして

أَيْضًا ：〜もまた

チェック！

جَدِيدٌ の複数形は جُدُدٌ
で、 طَالِبٌ の複数形は
طُلَّابٌ ですが、この形
の複数形は男性（また
は男女混合）の複数に
対してしか用いませ
ん。
女性複数にするときは
طَالِبَاتٌ 、جَدِيدَاتٌ と
なります。

人称代名詞・非分離タイプ

🌼42

		単数	双数	複数
三人称	男性	ـهُ	هُمَا	هُمْ
三人称	女性	ـهَا	هُمَا	هُنَّ
二人称	男性	ـكَ	كُمَا	كُمْ
二人称	女性	ـكِ	كُمَا	كُنَّ
一人称	私を ـنِي / 私の ◌ِي		نَا	

ルール　名詞や前置詞、動詞などの単語の直後にくっつけて使います。

名詞に付ける場合、その**名詞の語末はかならずタンウィーンではない母音にします。**

解説
◆　人称代名詞には、前後の単語とは離して書く「分離タイプ」と、単語の語末につなげて書く「非分離タイプ」があります。

◆　「非分離タイプ」は、「彼の〜」「私の〜」との意味、あるいは「彼を」「私を」との意味で、単語の語末にくっつけて使用します。

◆ 人称代名詞には、主語として用いる分離タイプと、「彼の〜」、「彼を〜」という意味で用いる非分離
タイプがあります。

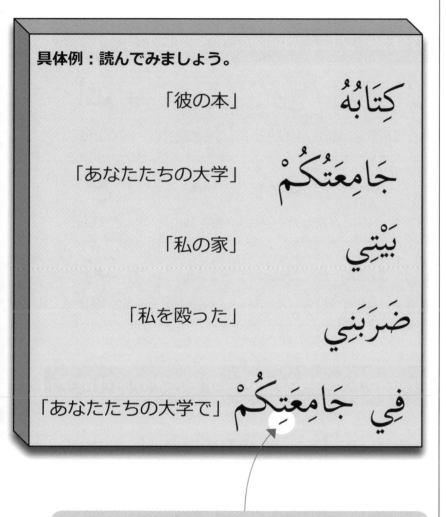

具体例：読んでみましょう。

كِتَابُهُ 「彼の本」

جَامِعَتُكُمْ 「あなたたちの大学」

بَيْتِي 「私の家」

ضَرَبَنِي 「私を殴った」

فِي جَامِعَتِكُمْ 「あなたたちの大学で」

格変化はこの位置（元の単語の語末）で行ないます。

単語チェック！

كِتَابٌ ：本

جَامِعَةٌ ：大学

بَيْتٌ ：家

ضَرَبَ ：〜を殴った

فِي ：中（前置詞）

رَجُلٌ ：男の人

جَدٌّ ：祖父

1．次の日本語をアラビア語にしましょう。

① あなたたちの家の中で

② この男は、彼の祖父ではない。

集中講義④：前置詞や人称代名詞の変化

🌀43

人称代名詞の非分離タイプは、前置詞につなげられます。

	أَمَامَ + 〜の前
أَمَامَهُ / أَمَامَكَ / أَمَامَنَا / أَمَامَكُمْ （あなたたちの前）（私たちの前）（あなたの前）（彼の前）	
مَعَهُ / مَعَكَ / مَعَنَا / مَعَكُمْ （あなたたちと共に）（私たちと共に）（あなたと共に）（彼と共に）	مَعَ + 〜と共に
بَعْدَهُ / بَعْدَكَ / بَعْدَنَا / بَعْدَكُمْ （あなたたちの後に）（私たちの後に）（あなたの後に）（彼の後に）	بَعْدَ + 〜の後（あと）に

人称代名詞は、特定の条件下で特殊な変化をすることがあります。

① 「ـِي」（私の）の直前が「ā」「ai」「ī」の音の場合、「ـِي」が「ـَِي」に変化します。

例）「私の中に」 فِيَّ ← ـِي + فِي

② 三人称の人称代名詞の直前が、カスラ（i）、またはカスラの長母音、または「ي」のスクーンの場合、代名詞の「هُ」（hu）の音が「هِ」（hi）になります。ただし、「هَا 彼女の」は変化しません。

例）「彼の中に」 فِيهِ ← هُ + فِي

「彼らの本（属格）」 كِتَابِهِمْ ← هُمْ + كِتَابِ

前置詞も、特定の条件下で特殊な変化をすることがあります。

① 「عَلَى」（～の上に）や「إِلَى」（～へ）のように、アリフ・マクスーラで終わる前置詞に人称代名詞が付くと、語尾が -ai になり、「عَلَيْ」、「إِلَيْ」になります。

例) عَلَيْكَ / عَلَيْنَا / عَلَيْكُمْ / إِلَيْكَ / إِلَيْنَا

② 「لِ」（～のために）に人称代名詞が付くと、発音が「لَ」に変わります。ただし、「私のために」は例外的に「لِي」です。

例) لَكَ / لَنَا / لَكُمْ / لَهُمْ / لَكُنَّ

③ 「عَنْ」（～について）、「مِنْ」（～から）に「ـِي 私の」あるいは「ـنَا 私たちの」が付くと、「ن」が重複し、「عَنِّي」・「مِنِّي」「عَنَّا」・「مِنَّا」となります。

否定動詞「ライサ」の活用

🔆44

	単数	双数	複数
三人称 男性	لَيْسَ	لَيْسَا	لَيْسُوا ★
三人称 女性	لَيْسَتْ	لَيْسَتَا	لَسْنَ
二人称 男性	لَسْتَ	لَسْتُمَا	لَسْتُمْ
二人称 女性	لَسْتِ		لَسْتُنَّ
一人称	لَسْتُ	لَسْنَا	

★　三人称男性複数形の語末のアリフは発音上無視して、「ライスー」と読みます。

◆　第22課で、否定辞「 لَيْسَ 」、およびその女性形の「 لَيْسَتْ 」を学びました。

◆　実は、この「ライサ」は上の表のように主語に応じて活用させる必要があります。

◆　青い字の箇所は語頭が「 لَسْ 」で始まり、黒い字の箇所は語頭が「 لَيْسَ 」で始まります。活用を覚える際の助けとして下さい。

◆ 否定動詞「ライサ」の活用を覚えましょう。

重要なルール

主語が三人称の場合に限って、主語よりも前にライサを置く場合、主語の数にかかわらず単数の活用形 （ لَيْسَ または لَيْسَتْ ）を使用します。

① لَيْسَ ٱلطُّلَّابُ فِي ٱلْمَكْتَبَةِ.

「その学生たちは、図書館の中にはいません。」

② اَلطُّلَّابُ لَيْسُوا فِي ٱلْمَكْتَبَةِ.

①の文では、「学生たち」という主語の前にライサを用いていますので、単数の活用形「 لَيْسَ 」を冒頭に置きます。

一方②の文では、「学生たち」という主語を述べてからライサを用いていますので、主語の数に合わせて、複数形の「 لَيْسُوا 」を置きます。

لَيْسَتِ ٱلطَّالِبَاتُ فِي ٱلْمَكْتَبَةِ. لَسْنَ مُجْتَهِدَاتٍ.

「その女子学生たちは図書館の中にはいません。彼女たちは勤勉ではないのです。」

単語チェック！

طَالِبٌ ：学生
（複数形）➡ طُلَّابٌ

فِي ：～の中（前置詞）

مَكْتَبَةٌ ：図書館

مُجْتَهِدٌ ：勤勉な

疑問詞「誰」「何」

○45

「誰」 مَنْ

مَنْ هٰذَا ٱلرَّجُلُ؟

「この男は誰ですか？」

「何」 مَا

مَا هٰذِهِ ٱلْأَشْيَاءُ؟

「これらの物は何ですか？」

ルール 疑問詞を文頭に置き、尋ねる対象を主格で置きます。

具体例：読んでみましょう。

مَنْ تِلْكَ ٱلْبِنْتُ؟
「あの少女は誰ですか？」

ـ هِيَ أُخْتِي.
「彼女は私の妹（姉）です。」

مَا هٰذَا ٱلصُّنْدُوقُ؟
「この箱は何ですか？」

ـ هٰذِهِ هَدِيَّةٌ لَكَ.
「これはあなたへの贈り物です。」

◆ 疑問詞「誰＝マン」と「何＝マー」を覚えましょう。

1．次のアラビア語の意味を考えましょう。

① مَنْ أُسْتَاذُكَ؟

② مَنْ هٰؤُلَاءِ ٱلطُّلَّابُ؟

③ مَنِ ٱلرَّئِيسُ؟

「مَنْ 誰」に定冠詞が後続すると、補助母音が発生して発音が「مَنِ」となります。

2．次の日本語をアラビア語にしましょう。

① これは何ですか。

② あれは何ですか。

③ あれらの物は何ですか。

④ このプレゼントは何ですか。

単語チェック！

رَجُلٌ：男の人

شَيْءٌ：物
（複数形）➡ أَشْيَاءٌ

بِنْتٌ：少女

أُخْتٌ：妹、姉

صُنْدُوقٌ：箱

هَدِيَّةٌ：プレゼント

لَكَ：「لِ」＋「كَ」
（人称代名詞）

لِ：ために（前置詞）

أُسْتَاذٌ：先生

طَالِبٌ：学生
（複数形）➡ طُلَّابٌ

رَئِيسٌ：長、リーダー

集中講義⑤：語根

◆ アラビア語のほとんどの単語は、特定の概念を表わす 3 つ（あるいはまれに 4 つ）の文字の並びを語根とし、さまざまな形に派生してできています。

◆ たとえば、「ك、ت、ب」という文字の並びは「書」という概念を持ちます。この語根から、「図書館」、「作家」、「机」、「本」など「書」に関係するさまざまな単語が派生します。「م、ل、ع」という文字の並びは「知」を意味します。

本　كِتَابٌ

作家　كَاتِبٌ

書

机　مَكْتَبٌ

図書館　مَكْتَبَةٌ

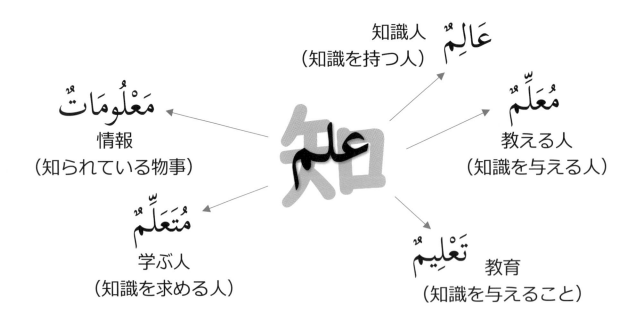

知識人
（知識を持つ人）　عَالِمٌ

مُعَلِّمٌ
教える人
（知識を与える人）

مَعْلُومَاتٌ
情報
（知られている物事）

知

学ぶ人
（知識を求める人）　مُتَعَلِّمٌ

تَعْلِيمٌ　教育
（知識を与えること）

◆ 形容詞を比較級にする際など、いくつかの場面で、単語の語根を見定める必要が出てきます。

◆ 語根を見つけるためのコツを押さえましょう。

3 文字のみで構成される単語は、その 3 文字が語根のことが多いです。

例)「 نُورٌ　光」の語根 ➡「 ن ر و 」

長母音を作る「 ا 」「 ي 」「 و 」は語根を構成しないことが多いです。

例)「 جَمِيلٌ　美しい」の語根 ➡「 ج م ل 」

「 ة 」は語根を構成しません。

例)「 سَكِينَةٌ　静けさ」の語根 ➡「 س ك ن 」

語頭の「 ء 」は語根を構成しないことがあります。

例)「 مُوَظَّفٌ　従業員」の語根 ➡「 و ظ ف 」

38

二段変化

🌀47

	三段変化 （一般的な単語）	二段変化
主格	كِتَابٌ	مِصْرُ
属格	كِتَابٍ	مِصْرُ
対格	كِتَابًا	مِصْرُ

二段変化の単語は、非限定であるにもかかわらず語末の母音がタンウィーンにならないという特徴を持っているので、見分けるのは難しくありません。

解説	◆ 一般的な名詞・形容詞は、主格・属格・対格の3つの格に合わせて、語末の格が3種類に変化します（＝三段変化）。
	◆ しかし、一部の名詞・形容詞は、語末の母音が主格で「u」、属格と対格で「a」となり、2種類にしか変化しません。これを「二段変化」と言います。
	◆ 二段変化の単語の語末はタンウィーンの音になりません。

◆ アラビア語の名詞・形容詞は、主格／属格／対格で形が変わります。（➡ 49 ページ）

◆ 一部の単語は、属格と対格の形が共通で、2 パターンにしか形が変化しません。これを二段変化と言います。

具体例：読んでみましょう。

「私の祖国はエジプトです。」 　主格　　وَطَنِي مِصْرُ.

「私たちはエジプトにいます。」 　属格　　نَحْنُ فِي مِصْرَ.

「私はエジプトが好きです。」 　対格　　أُحِبُّ مِصْرَ.

1．日本語に合わせてカッコに適切な単語を入れましょう。

① 彼はエジプトへ行った。

ذَهَبَ إِلَى (　　).

第 31 課「全体変化複数形」で紹介した複数形の型のうち、語末がタンウィーンではない「فُعَلَاءُ」や「فَعَالِلُ」などは二段変化になります。

重要なルール

二段変化の単語も、定冠詞が付く、あるいは後ろに名詞が付いて複合名詞化すると、三段変化に変わります。

単語チェック！

كِتَابٌ ：本

مِصْرُ：エジプト

وَطَنٌ：祖国

فِي ：中（前置詞）

أُحِبُّ：私は〜が好き

ذَهَبَ：彼は行った

إِلَى ：〜へ（前置詞）

39

比較級の作り方

美しい　 جَمِيلٌ

أَفْعَلُ

↓

より美しい　أَجْمَلُ

広い　وَاسِعٌ

أَفْعَلُ

↓

より広い　أَوْسَعُ

解説

◆ 形容詞の語根を、「أَفْعَلُ」の ف、ع、ل の部分にはめ込むと、比較級を作ることができます。

◆ 主語の数・性にかかわらずこの形を用います。

◆ 比較級になった単語は、二段活用（➡第38課）になるので注意しましょう。

◆ 形容詞を特定の形にすると、比較級になります。

具体例：読んでみましょう。

「彼は彼女よりも背が高い。」

هُوَ أَطْوَلُ مِنْهَا.

「〜よりも」と言いたいときは、前置詞の「مِنْ」を用います。

أُخْتِي أَصْغَرُ مِنِّي.

「私の姉（妹）は私よりも小さい。」

1．次の日本語をアラビア語にしましょう。

① 私の大学は、あなたの大学よりも美しい。

② この大学は、あの大学よりも小さい。

単語チェック！

جَمِيلٌ：美しい

وَاسِعٌ：広い

طَوِيلٌ：長い、背が高い

أُخْتٌ：妹、姉

صَغِيرٌ：小さい

جَامِعَةٌ：大学

40

最上級の作り方

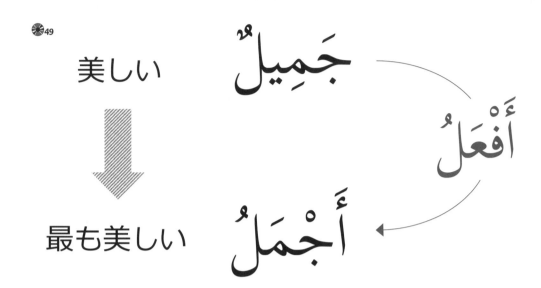

🌀49

美しい

أَفْعَلُ

جَمِيلٌ

↓

最も美しい

أَجْمَلُ

具体例：読んでみましょう。

「彼女は最も美しい少女です。」

هِيَ أَجْمَلُ بِنْتٍ.

色々な表現が可能です。例文をそのまま覚えてしまいましょう。

هِيَ أَجْمَلُ ٱلْبَنَاتِ.

هِيَ ٱلْبِنْتُ ٱلْأَجْمَلُ.

解説

◆ 最上級は、比較級と同じ形を用います。

◆ 主語の数・性にかかわらずこの形を用いることができます。（最上級には、女性形や複数形も存在しますが、まずは基本の「أَفْعَلُ」型を覚えましょう。）

◆ 形容詞を特定の形にすると、最上級になります。

---

1. 次の形容詞を最上級にしましょう。

② وَاضِحٌ
（はっきりした）

① قَرِيبٌ
（近い）

④ صَعْبٌ
（難しい）

③ سَهْلٌ
（容易な）

2. 次のアラビア語の意味を考えましょう。

① هُوَ أَكْبَرُ الرِّجَالِ.

② مَنْ أَكْبَرُهُمْ؟

> 最上級に、人称代名詞の非分離タイプをくっつけると、
> 「〇〇のうち最も～な者／物」という意味になります。

単語チェック！

جَمِيلٌ：美しい

بِنْتٌ：少女、娘
（複数形）➡ بَنَاتٌ

كَبِيرٌ：大きい

رَجُلٌ：男の人
（複数形）➡ رِجَالٌ

41

数字の１から１０

🔊50

	数字	男性名詞に付ける形	女性名詞に付ける形
1	١	وَاحِدٌ	وَاحِدَةٌ
2	٢	★ اِثْنَانِ (اِثْنَيْنِ)	اِثْنَتَانِ (اِثْنَتَيْنِ)
3	٣	ثَلَاثَةٌ	ثَلَاثٌ
4	٤	أَرْبَعَةٌ	أَرْبَعٌ
5	٥	خَمْسَةٌ	خَمْسٌ
6	٦	سِتَّةٌ	سِتٌّ
7	٧	سَبْعَةٌ	سَبْعٌ
8	٨	ثَمَانِيَةٌ	ثَمَانٍ (ثَمَانِي)
9	٩	تِسْعَةٌ	تِسْعٌ
10	١٠	عَشَرَةٌ	عَشْرٌ

★「２」の最初のアリフは、定冠詞のアリフと同じように、文の途中では発音が消えます。

◆ 「３」以降は、男性名詞に使用する方に「ة」が付きます。注意しましょう。

◆ 「２」は、主格の場合と、属格・対格の場合（カッコ内）で形が変わります。

◆ 女性名詞に使う「８」は後ろに名詞をくっつけると形が変わります（カッコ内）。

◆ アラビア語の１から１０を覚えましょう。

سَيَّارَةٌ ： 車

（複数形）➡ سَيَّارَاتٌ

قَلَمٌ ： ペン

（複数形）➡ أَقْلَامٌ

يَوْمٌ ： 日

（複数形）➡ أَيَّامٌ

重要なルール

アラビア語の文章は右から左に読み書きしますが、「٠」（ゼロ）から「٩」（九）までの数字は、左から右に読みます。

١٩٨٤ ＝ 千九百八十四

具体例：読んでみましょう。

１と２は形容詞として名詞の後ろに置きます。２つのものを示すときは双数形にするだけで足りますが、数字を置くと強調表現になります。

「1台の車」 سَيَّارَةٌ وَاحِدَةٌ

「2台の車」 سَيَّارَتَانِ اثْنَتَانِ

「8本のペン」 ثَمَانِيَةُ أَقْلَامٍ

３から10は、先に数字を置いて、後ろに複数形の名詞を属格で置くと「〜個の○○」という意味になります。

「8台の車」 ثَمَانِي سَيَّارَاتٍ

「3日」 ثَلَاثَةُ أَيَّامٍ

42 「非〜」＝ガイル

🔆51

لَيْسَ ٱلْوَلَدُ ذَكِيًّا.

「その少年は賢くない。」

＝

اَلْوَلَدُ غَيْرُ ذَكِيٍّ.

非〜

ルール　「غَيْرُ」の後ろに属格の形容詞を置く。

具体例：読んでみましょう。

「不明瞭」　غَيْرُ وَاضِحٍ

「非合理な・妥当ではない」　غَيْرُ مَعْقُولٍ

解説

◆　「غَيْرُ」は「〜以外」の意味を持ちます。

◆　「غَيْرُ」の後ろに属格の形容詞を置くと、「非〜」「不〜」の意になります。

◆ 「ガイル」という単語を用いて、「非〜」、「不〜」という表現を作ることができます。

次のように名詞を修飾することができます。

「とある賢くない少年」 وَلَدٌ غَيْرُ ذَكِيٍّ

「その賢くない少年」 اَلْوَلَدُ غَيْرُ الذَّكِيِّ

ガイルは格変化します。

属格

مَعَ وَلَدٍ غَيْرِ ذَكِيٍّ

「とある賢くない少年と共に」

対格

لَيْسَ أَحْمَدُ وَلَدًا غَيْرَ ذَكِيٍّ.

「アフマドは、賢くない少年ではない。」

単語チェック！

وَلَدٌ : 少年

ذَكِيٌّ : 賢い

وَاضِحٌ : はっきりした

مَعْقُولٌ : 妥当な

أَحْمَدُ : アフマド

مَعَ : 共に（前置詞）

集中講義⑥：動詞の種類

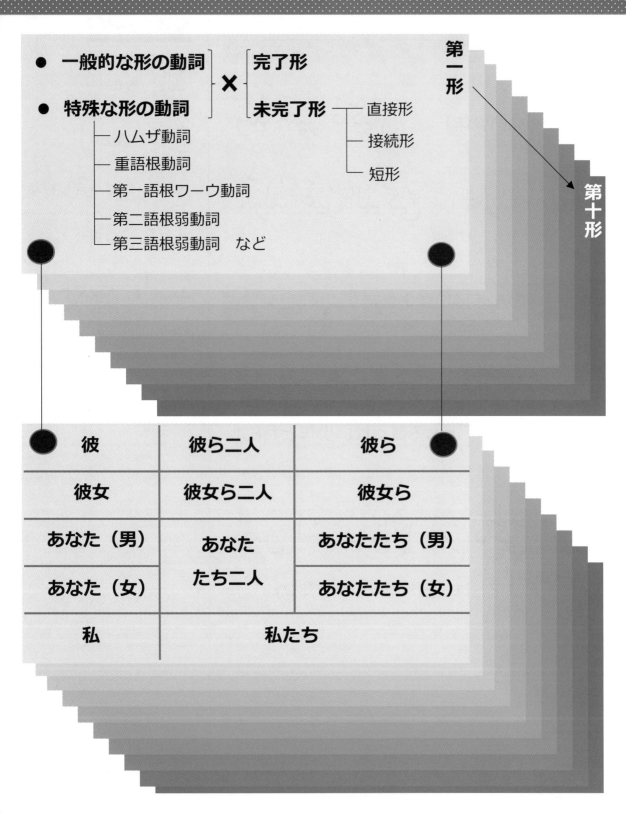

- **一般的な形の動詞**
- **特殊な形の動詞**
  - ハムザ動詞
  - 重語根動詞
  - 第一語根ワーウ動詞
  - 第二語根弱動詞
  - 第三語根弱動詞　など

×

- **完了形**
- **未完了形**
  - 直接形
  - 接続形
  - 短形

第一形

第十形

彼	彼ら二人	彼ら
彼女	彼女ら二人	彼女ら
あなた（男）	あなたたち二人	あなたたち（男）
あなた（女）		あなたたち（女）
私	私たち	

動詞の型

　アラビア語の動詞は、第一形から第十形に分類されます。

　第一形が最も基本的な形です。それに特定の文字や音が付け加わることで、第二形から第十形の形になります。

特殊な形の動詞

　ある種の語根を持つ動詞は、一般的な形の動詞とは異なる活用をするため、ハムザ動詞、重語根動詞など、特別な名前で呼ばれます。

　これら特殊な活用をする諸々の動詞が、第一形から第十形までの各々のタイプに存在します。

時制

　アラビア語の時制は、「完了形」と「未完了形」に大別されます。

　更に、「未完了形」は、基本的な形である「直接形」のほか、「接続形」と「短形」に形が変わります。

活用

　動詞は、三人称・二人称・一人称／男・女／単数・双数・複数の別に従って活用します。

　この本では、一般的な形の動詞の「完了形」と「未完了・直接形」を学びます。まずは第一形の活用をしっかり覚えましょう。第二形から第十形の形は、５８課と５９課で学びます。

動詞の完了形（1/2）

🔵52

> 動詞は、過去を表わす「完了形」の三人称男性単数が基本の形です。

		単数	双数	複数
三人称	男性	دَرَسَ	دَرَسَا	دَرَسُوا ★
三人称	女性	دَرَسَتْ	دَرَسَتَا	دَرَسْنَ
二人称	男性	دَرَسْتَ	دَرَسْتُمَا	دَرَسْتُمْ
二人称	女性	دَرَسْتِ		دَرَسْتُنَّ
一人称		دَرَسْتُ	دَرَسْنَا	

★ 三人称男性複数形の語末のアリフは発音上無視して、「ダラスー」と読みます。

◆ 「دَرَسَ 学ぶ」（語根：د、ر、س）を例に活用を見てみましょう。

◆ 変化するのは、第3語根以降の部分だけです。

◆ 青い字で書いた箇所は、語頭が「دَرَسْ」で始まる点が共通しています。活用を覚える際の助けとして下さい。

◆ 完了形は、すでに行なった動作を表します。

◆ まずは、最も基本的な第一形動詞の形を覚えましょう。

◆ 第一形動詞とは、3文字（3音）からなる最も単純な形の動詞を指します。

第二語根の母音は、動詞によって異なります。

①「دَرَسَ」のように、母音が a-a-a のものの他、②「شَرِبَ　飲む」のように、母音が a-i-a のもの、③「جَمُلَ　美しくある」のように、母音が a-u-a のものがあります。

	単数		単数
三人称 男性	شَرِبَ		جَمُلَ
三人称 女性	شَرِبَتْ		جَمُلَتْ
二人称 男性	شَرِبْتَ		جَمُلْتَ
二人称 女性	شَرِبْتِ		جَمُلْتِ
一人称	شَرِبْتُ		جَمُلْتُ

第二語根の母音が違うだけで、活用の仕方は「دَرَسَ」の場合と変わりません。

動詞の完了形（2/2）

🌀53

動詞文

شَرِبَ أَحْمَدُ ٱلْعَصِيرَ.

「アフマドは、そのジュースを飲んだ。」

名詞文

أَحْمَدُ شَرِبَ ٱلْعَصِيرَ.

（ジュース）　（飲んだ）　（アフマド）

具体例：読んでみましょう。

「アフマドはアラ
ビア語を学んだ。」

دَرَسَ أَحْمَدُ ٱللُّغَةَ ٱلْعَرَبِيَّةَ.

أَحْمَدُ دَرَسَ ٱللُّغَةَ ٱلْعَرَبِيَّةَ.

解説

◆　動詞を用いる文章は、「動詞→主語」の順に並べることも、「主語→動詞」の順
　　に並べることもできます。前者を「動詞文」、後者を「名詞文」と言います。

◆　動詞文と名詞文はほとんど意味は変わりませんが、名詞文は主語を強調する働
　　きがあります。主語を強調しない場合は動詞文を使うようにしましょう。

- ◆ 完了形は、すでに行なった動作を表します。
- ◆ まずは、最も基本的な第一形動詞の形を覚えましょう。
- ◆ 第一形動詞とは、3文字（3音）からなる最も単純な形の動詞を指します。

１．次のアラビア語の意味を考えましょう。

① شَرِبْتَ ٱلْبِيرَةَ وَشَرِبْتُ ٱلْقَهْوَةَ.

② شَرِبَ ٱلطُّلَّابُ ٱلْقَهْوَةَ.

「شَرِبُوا」ではない。

重要なルール

主語が三人称の場合に限って、主語よりも前に動詞を
置く場合、主語の数にかかわらず単数の活用形を使用。

「رَجَعْنَ」ではない。

③ رَجَعَتْ مُدَرِّسَاتُهُ إِلَى ٱلْمَدْرَسَةِ.
（彼の女教師たち）

④ رَجَعَتِ ٱلْمُدَرِّسَةُ إِلَى مَدْرَسَتِهَا.

三人称女性単数に定冠詞（その他、スクーンの音）が
後続すると補助母音「i」が発生し、二人称男性複数に
定冠詞が後続すると補助母音「u」が発生します。

⑤ دَرَسْتُمُ ٱللُّغَةَ ٱلْعَرَبِيَّةَ.

単語チェック！

- شَرِبَ : 飲む
- أَحْمَدُ : アフマド
- عَصِيرٌ : ジュース
- دَرَسَ : 学ぶ
- لُغَةٌ : 言語
- عَرَبِيٌّ : アラブの
- اَللُّغَةُ ٱلْعَرَبِيَّةُ : アラビア語
- بِيرَةٌ : ビール
- وَ : そして、〜と
- قَهْوَةٌ : コーヒー
- طَالِبٌ : 学生
  （複数形）➡ طُلَّابٌ
- رَجَعَ : 戻る、帰る
- مُدَرِّسٌ : 教師
- مَدْرَسَةٌ : 学校

動詞の目的語を尋ねる

🔊54

第37課で、「〜は何？」と尋ねる疑問詞「مَا」を学びました。

「これは何ですか？」 مَا هٰذَا؟

動詞の目的語を尋ねるときは、別の疑問詞「مَاذَا」を用います。
使い方は「مَا」と同じで、文頭にこの疑問詞を置きます。

مَاذَا فَعَلَ هٰذَا ٱلْوَلَدُ؟

「この少年は何をしましたか？」

مَاذَا أَكَلْتَ؟

「あなたは何を食べましたか？」

مَاذَا دَرَسَتْ تِلْكَ ٱلْبِنْتُ؟

「あの少女は何を学びましたか？」

مَاذَا شَرِبَتْ؟

「彼女は何を飲みましたか？」

◆　動詞の目的語を尋ねる疑問詞「何＝マーザー」を覚えましょう。

1．次のアラビア語の意味を考えましょう。

① مَاذَا دَرَسْتِ فِي جَامِعَتِكِ؟

② مَاذَا فَعَلَ هٰؤُلَاءِ ٱلطُّلَّابُ؟

2．次の日本語をアラビア語にしましょう。

①　あなたたち（男）は何を食べましたか。

②　あれらの女子学生たちは何を学びましたか。

注意：女性複数なので、 طُلَّابٌ ではありません。

単語チェック！

فَعَلَ：する、為す

وَلَدٌ：少年

أَكَلَ：食べる

دَرَسَ：学ぶ

بِنْتٌ：少女

شَرِبَ：飲む

جَامِعَةٌ：大学

طَالِبٌ：学生
（複数形）➡ طُلَّابٌ

114

関係代名詞

🌀55

	単数	双数 【主格】	双数 【属格＆対格】	複数
男性	اَلَّذِي	اَللَّذَانِ	اَللَّذَينِ	اَلَّذِينَ
女性	اَلَّتِي	اَللَّتَانِ	اَللَّتَينِ	اَللَّاتِي

◆ 関係代名詞は、先行詞の数と性に応じて使い分けます。

◆ 関係代名詞は、先行詞の直後に置きます。

◆ いずれの形も、最初の「ا」（アリフ）の文字は、文を読み始めるときは「ア」
と発音しますが、文の途中では発音が消えます（定冠詞「اَلْ」の「ا」と同様）。

اَلْبِنْتُ ٱلَّتِي ذَهَبَتْ إِلَى أَمْرِيكَا

「アメリカへ行った（その）少女」

重要なルール

先行詞が関係節の中の動詞の主語でない場合、関係節の中で、先行詞にあたる
代名詞を明記します（つまり、英語では the book which I read it という表現
は誤りですが、アラビア語ではこの文の it に該当する部分を明記します）。

اَلْكِتَابُ ٱلَّذِي قَرَأْتُهُ

「私が読んだ（その）本」

◆　関係代名詞は先行詞に応じて形が変わります。

関係代名詞は、限定された名詞を先行詞にとる場合にのみ用います。非限定の名詞を先行詞とする場合、関係代名詞は用いません。

「私が読んだとある本」

كِتَابٌ قَرَأْتُهُ

関係代名詞を先行詞なしで用いて、「～なもの・こと」「～な人」という意味の名詞句にすることができます。

اَلَّذِي دَرَسْتَهُ فِي الْجَامِعَةِ

「あなたが大学で学んだこと」

اَلَّتِي خَرَجَتْ مِنَ الْبَيْتِ

「その家から出てきた女性」

前置詞の「مِنْ ～から」の直後にスクーンの音が続くと、補助母音「a」が発生して「مِنَ」となります。

単語チェック！

بِنْتٌ：少女

ذَهَبَ：行く

إِلَى：～へ（前置詞）

أَمْرِيكَا：アメリカ

كِتَابٌ：本

قَرَأَ：読む

دَرَسَ：学ぶ

فِي：中（前置詞）

جَامِعَةٌ：大学

خَرَجَ：出る

مِنْ：～から（前置詞）

بَيْتٌ：家

集中講義⑦：「〜を持っている」「〜がある」

56

◆ 英語の「for」にあたる前置詞です。

◆ 人称代名詞がくっつくと、読み方が「 لَ 」になります（ただし、「私の」は例外です）。

「これは、あなたへの贈り物です。」 هٰذِهِ هَدِيَّةٌ لَكَ.

◆ この前置詞は「所有」を示すことができます。

هٰذَا لِي.   لَهَا أُخْتٌ.

「これは私のものです。」   「彼女には、姉妹がいます。」

◆ 「〜のもとに」という意味の前置詞です。

◆ この前置詞を使って、「持っていること」を示すことができます。

「私には車があります（車を持っています）。」 عِنْدِي سَيَّارَةٌ.

「（あなたには）時間がありますか？」 هَلْ عِنْدَكَ وَقْتٌ؟

「私には時間がありません。」 لَيْسَ عِنْدِي وَقْتٌ.

117

- ◆ 「〜と共に」という意味の前置詞です。
- ◆ 「私と共に」というときは、「مَعِي」となります。

هِيَ مَعَ مُحَمَّدٍ.   هُوَ مَعِي.

「彼は私と一緒にいます。」   「彼女はムハンマドと一緒にいます。」

- ◆ この前置詞を使って、「（身につけて）持っていること」を示すことができます。

「（今、手元に）時計を持っていますか？」   هَلْ مَعَكَ سَاعَةٌ؟

- ◆ 「هُنَا」=「ここ」、「هُنَاكَ」=「あそこ」を意味します。
- ◆ この単語を使って、「〜がある／いる」という表現を作ることができます。

「ここに美しいバラがあります。」   هُنَا وَرْدَةٌ جَمِيلَةٌ.

「ひとりの男がいます。」   هُنَاكَ رَجُلٌ.

57

「私はそのバナナを食べました。」 أَكَلْتُ ٱلْمَوْزَةَ.

「私はそのバナナを食べませんでした。」 مَا أَكَلْتُ ٱلْمَوْزَةَ.

具体例：読んでみましょう。

مَا ذَهَبَتْ إِلَى بَيْتِهِ أَمْسِ.

「昨日、彼女は彼の家へ行きませんでした。」

مَا شَرِبْتُ شَيْئًا.

「私は何も飲みませんでした。」

مَا رَكِبُوا ٱلسَّيَّارَةَ.

「彼らは車に乗りませんでした。」

解説 ◆ 完了形動詞の直前に否定辞「مَا」を置くと、「～しなかった」という否定文を
作ることができます。

◆ 否定辞「マー」を完了形動詞の直前に置いて、完了形動詞を否定することができます。

1．次のアラビア語の意味を考えましょう。

① هَلْ رَجَعْتَ إِلَى بَيْتِكَ أَمْسِ؟

لَا، مَا رَجَعْتُ إِلَى بَيْتِي أَمْسِ.

② هَلْ فَهِمْتُمْ كُلَّ شَيْءٍ؟

لَا، مَا فَهِمْنَا شَيْئًا.

2．次の日本語をアラビア語にしましょう。

① 昨日、私たちは何も食べませんでした。

② あなた（男）はそれを理解しましたか。
　── いいえ、私はそれを理解しませんでした。

単語チェック！

أَكَلَ：食べる

مَوْزَةٌ：バナナ

ذَهَبَ：行く

إِلَى：～へ（前置詞）

بَيْتٌ：家

أَمْسِ：昨日（副詞）

شَرِبَ：飲む

شَيْءٌ：もの、こと
（否定文の目的語にして、「何も～ない」の意。）

رَكِبَ：乗る

سَيَّارَةٌ：車

رَجَعَ：戻る、帰る

فَهِمَ：理解する

كُلٌّ：全て、各々

疑問詞「どこ」「いつ」

🔆58

「どこ」 أَيْنَ

أَيْنَ ٱلْمَحَطَّةُ؟

「駅はどこですか？」

「いつ」 مَتَى

مَتَى رَجَعْتَ؟

「あなたはいつ戻りましたか？」

ルール 疑問詞を文頭に置きます。

具体例：読んでみましょう。

أَيْنَ ذَهَبْتِ ٱلْيَوْمَ؟

「今日、あなた（女）はどこに行きましたか？」

مَتَى خَرَجَ مِنْ بَيْتِهِ؟

「彼はいつ彼の家から出ましたか。」

◆ 疑問詞「どこ＝アイナ」と「いつ＝マター」を覚えましょう。

1. 次のアラビア語の意味を考えましょう。

① أَيْنَ أُولَٰئِكَ ٱلْيَابَانِيُّونَ؟

② مَتَى دَخَلْتُمْ بَيْتَكُمْ؟

③ مِنْ أَيْنَ أَخَذْتَهُ؟

> アラビア語の疑問詞には、前置詞をくっつけることが
> できます。

2. 次の日本語をアラビア語にしましょう。

① 彼女はどこへ行ったのですか。

② 彼らはいつ大学から家へ戻ったのですか。

単語チェック！

مَحَطَّةٌ：駅

رَجَعَ：戻る、帰る

ذَهَبَ：行く

ٱلْيَوْمَ：今日（副詞）

خَرَجَ：出る

مِنْ：～から（前置詞）

بَيْتٌ：家

يَابَانِيٌّ：日本人

دَخَلَ：入る

أَخَذَ：取る

جَامِعَةٌ：大学

إِلَى：～へ（前置詞）

48 いろいろな副詞

دَرَسَ صَبَاحًا.

「朝、彼は勉強しました。」

> **ルール** 名詞や形容詞を対格で置くと、副詞的用法になります。

دَرَسْتُ كَثِيرًا.

「私はたくさん勉強しました。」

مَا دَرَسْنَا ٱلْيَوْمَ.

「今日、私たちは勉強しませんでした。」

> 対格の形にならないものもあります。

「五つだけです。」　خَمْسَةٌ فَقَطْ.

解説
◆ 名詞や形容詞を対格で置くと、副詞的用法になります。
◆ 対格の形にはならない副詞もあります。単語ごとに覚えましょう。

◆　名詞や形容詞を対格にすると、副詞的用法になります。

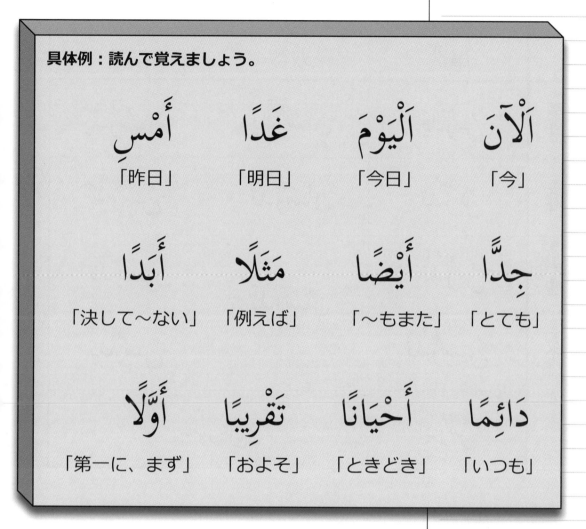

具体例：読んで覚えましょう。

اَلْآنَ	اَلْيَوْمَ	غَدًا	أَمْسِ
「今」	「今日」	「明日」	「昨日」

جِدًّا	أَيْضًا	مَثَلًا	أَبَدًا
「とても」	「～もまた」	「例えば」	「決して～ない」

دَائِمًا	أَحْيَانًا	تَقْرِيبًا	أَوَّلًا
「いつも」	「ときどき」	「およそ」	「第一に、まず」

単語チェック！

دَرَسَ：勉強する

صَبَاحٌ：朝

كَثِيرٌ：多い

فَقَطْ：～だけ

動詞の未完了形（1/2）

🔊60

		単数	双数	複数
三人称	男性	يَدْرُسُ	يَدْرُسَانِ	يَدْرُسُونَ
三人称	女性	تَدْرُسُ	تَدْرُسَانِ	يَدْرُسْنَ
二人称	男性	تَدْرُسُ	تَدْرُسَانِ	تَدْرُسُونَ
二人称	女性	تَدْرُسِينَ		تَدْرُسْنَ
一人称		أَدْرُسُ	نَدْرُسُ	

◆ 「 دَرَسَ 学ぶ」（語根： د 、 ر 、 س ）を例に活用を見てみましょう。

◆ 第一語根は、二文字目にスクーンで置きます。第一形の（一般）動詞全て
で共通です。

◆ **第二語根の母音（水色でマークした部分）は、動詞によって異なります。
法則を右のページに記しました。この法則をかならず覚えましょう。**

◆ 第三語根以降は、人称に応じて形が異なります。変化の仕方は第一形の
（一般）動詞全てで共通です。

◆ 未完了形は、現在行っていることや、習慣的に行なう動作を表します。

◆ 文脈によっては、未完了形によって未来に行なう動作を示すこともあります。

◆ まずは、最も基本的な第一形動詞の形を覚えましょう。

◆ 第二語根の母音は動詞によって異なります。この部分の母音は、**完了形**の第二語根の母音に応じて以下のように定まります（絶対の法則ではありませんが、今は例外は無視しましょう）。

完了形の第二語根の母音	未完了形の第二語根の母音
a	a / i / u
i	a
u	u

◆ 完了形の第二語根の母音が「a」の動詞の中には、未完了形の第二語根の母音に「a」をとる動詞も「i」をとる動詞も「u」をとる動詞もあります。

◆ その動詞がいずれの母音をとるかは、辞書で確認することができます。

دَرَسَ   **darasa**   **u**

辞書によって細かい書き方は異なりますが、動詞の項目にこのようなローマ字が書いてある場合、それは未完了形にしたときの第二語根の母音を表しています。

動詞の未完了形（2/2）

🌀61

完了形の第二語根の母音と未完了形の第二語根の母音の関係を、
具体例で確認しましょう。

完了形	未完了形
(a)　ذَهَبَ	يَذْهَبُ
(i)　نَزَلَ	يَنْزِلُ
(u)　دَرَسَ	يَدْرُسُ
شَرِبَ	يَشْرَبُ
جَمُلَ	يَجْمُلُ

完了形の第二語根の母音が「a」の動詞は、単語を覚える際に、未完
了形にしたときの第二語根の母音を覚える必要があります。

- ◆ 未完了形は、現在行っていることや、習慣的に行なう動作を表します。
- ◆ 文脈によっては、未完了形によって未来に行なう動作を示すこともあります。
- ◆ まずは、最も基本的な第一形動詞の形を覚えましょう。

完了形と同様に、動詞から始める動詞文と名詞から始める名詞文があります。

動詞文

يَدْرُسُ أَحْمَدُ ٱللُّغَةَ ٱلْيَابَانِيَّةَ.

名詞文

أَحْمَدُ يَدْرُسُ ٱللُّغَةَ ٱلْيَابَانِيَّةَ.

重要なルール

主語が三人称の場合に限って、主語よりも前に動詞を置く場合、主語の数にかかわらず単数の活用形を使用します。（完了形の場合と同じです。）

يَدْرُسُ ٱلطُّلَّابُ ٱللُّغَةَ ٱلْيَابَانِيَّةَ.

اَلطُّلَّابُ يَدْرُسُونَ ٱللُّغَةَ ٱلْيَابَانِيَّةَ.

1．次の動詞の未完了形の活用表を完成させましょう。

② لَعِبَ
「遊ぶ、（スポーツを）する」

(i) ① رَجَعَ
「帰る」

دَرَسَ：学ぶ

أَحْمَدُ：アフマド

لُغَةٌ：言語

يَابَانِيٌّ：日本の

اَللُّغَةُ ٱلْيَابَانِيَّةُ：日本語

طَالِبٌ：学生
（複数形）➡ طُلَّابٌ

50 疑問詞 「いくつ」「どの、どれ」

🔆62

كَمْ عُمْرُكَ؟

「いくつ」

كَمْ

「あなたの年齢はいくつですか。」

「كَمْ」＋単数対格の名詞で、「いくつの〜」という意味になります。

كَمْ تُفَّاحَةً أَكَلْتَ؟

「あなたはいくつのリンゴを食べましたか。」

أَيٌّ

「أَيّ」には属格名詞が付きます。

「どの」

أَيُّ مُدَرِّسٍ دَخَلَ ٱلْغُرْفَةَ؟

「どの教師がその部屋に入りましたか。」

「أَيّ」は格変化します。格変化する疑問詞は「أَيّ」だけです。

أَيَّ كِتَابٍ قَرَأْتَ؟

「あなたはどの本を読みましたか。」

◆ 疑問詞「いくつ＝カム」と「どの＝アイユ」を覚えましょう。

1．次のアラビア語の意味を考えましょう。

① كَمْ كِتَابًا قَرَأْتِ أَمْسِ؟

② أَيُّ طَالِبٍ قَرَأَ هٰذَا ٱلْكِتَابَ؟

③ أَيَّ غُرْفَةٍ دَخَلَ ذٰلِكَ ٱلطَّالِبُ؟

単語チェック！

عُمْرٌ : 年齢

تُفَّاحَةٌ : リンゴ

أَكَلَ : 食べる

مُدَرِّسٌ : 教師

دَخَلَ : 入る

غُرْفَةٌ : 部屋

كِتَابٌ : 本

قَرَأَ : 読む

أَمْسِ : 昨日（副詞）

طَالِبٌ : 学生

「彼は水を飲みます。」

يَشْرَبُ ٱلْمَاءَ

「彼は水を飲みません。」

لَا يَشْرَبُ ٱلْمَاءَ

具体例：読んでみましょう。

لَا أَذْهَبُ إِلَى ٱلْجَامِعَةِ.

「私は大学へ行きません。」

لَا نَجْلِسُ هُنَا.

「私たちはここに座りません。」

لَا يَدْرُسُونَ أَبَدًا.

「彼らはまったく学びません。」

| 解説 | ◆ 未完了形動詞の直前に否定辞「لَا」を置くと、「〜しない」という否定文を作ることができます。 |

◆ 否定辞「ラー」を未完了形動詞の直前に置いて、未完了形動詞を否定することができます。

1．次のアラビア語の意味を考えましょう。

① هَلْ تَدْرُسُ ٱللُّغَةَ ٱلصِّينِيَّةَ؟

لَا، لَا أَدْرُسُهَا.

② أَتَذْهَبُونَ إِلَى ٱلْجَامِعَةِ؟

لَا، لَا نَذْهَبُ إِلَيْهَا.

単語チェック！

شَرِبَ : 飲む

مَاءٌ : 水

ذَهَبَ (a) : 行く

إِلَى : ～へ（前置詞）

جَامِعَةٌ : 大学

جَلَسَ (i) : 座る

هُنَا : ここに、ここへ

دَرَسَ (u) : 学ぶ

أَبَدًا : けっして、全く

لُغَةٌ : 言語、～語

صِينِيٌّ : 中国の

集中講義⑧：動詞のプラスアルファ

 64

قَدْ

◆ 動作がすでに完了したことを強調する言葉です。

◆ 完了形の動詞の直前に置きます。

قَدْ خَرَجَ مُحَمَّدٌ.

「ムハンマドは、もうすでに出てしまった。」

◆ 「 لَقَدْ 」も、「 قَدْ 」と同じ意味で用いられます。

لَقَدْ خَرَجَ مُحَمَّدٌ.

سَـ

◆ 未来の動作であることを強調する言葉です。

◆ 未完了形の動詞の前にくっつけます。

「ムハンマドは出ていく。」 يَخْرُجُ مُحَمَّدٌ.

「ムハンマドは出ていくでしょう。」 سَيَخْرُجُ مُحَمَّدٌ.

◆ 未来の動作であることを強調する言葉です。

◆ 未完了形の動詞の直前に置きます。

「ムハンマドは出ていくでしょう。」 سَوْفَ يَخْرُجُ مُحَمَّدٌ.

◆ 「 سَوْفَ 」は「 سَ 」よりも遠い未来を示すとも言われ
ますが、区別せずに使われることも少なくありません。

アラビア語の辞書について

◆ アラビア語の辞書には、大きくわけて二つのタイプがあります。一つは、単
語のつづりのアルファベット順に単語が配列されているタイプ、もう一つは、
単語の語根ごとに単語が配列されているタイプです。

◆ たとえば、「 مَكْتَبَةٌ 」（図書館）という単語の意味を辞書で調べたいとします。
前者のタイプであれば、「 م 」 ➡ 「 ك 」 ➡ 「 ت 」といった具合に目的のページ
を探していきます（英語の辞書と同じ要領です）。

◆ 後者のタイプであれば、この単語の語根である「 كتب 」のページを開く必要
があります。語根「 كتب 」のページには、この語根から派生する単語が全て
収録されているので、その中から「 مَكْتَبَةٌ 」を探し出します。

◆ 多くの辞書は、語根順配列を採用しています。そのため、単語の意味を調べる
ためには、その単語の語根を知る必要があるのです。

◆ 語根を見分けるコツについては集中講義⑤（95-96 ページ）で説明しました。

52 疑問詞「なぜ」／「なぜなら」

🔆65

لِمَاذَا ذَهَبَتْ إِلَى مِصْرَ؟

「なぜ」

لِمَاذَا

「彼女はなぜエジプトへ行ったのですか。」

لِأَنَّ

لِأَنَّهَا تَدْرُسُ ٱلْعَرَبِيَّةَ هُنَاكَ.

「なぜなら、彼女はそこでアラビア語を学ぶから
です。」

「なぜなら」

◆ 「 لِأَنَّ 」の直後に主語を置きます。

◆ 主語が代名詞のときは、非分離タイプにして「 لِأَنَّ 」にくっつけます。

◆ 主語が「私」のときは、「 لِأَنَّنِي 」と「 لِأَنِّي 」という２通りの形があ
ります。いつどちらを使っても構いません。

◆ 主語が「私たち」のときは、「 لِأَنَّنَا 」と「 لِأَنَّا 」という２通りの形が
あります。いつどちらを使っても構いません。

「なぜなら、彼女のお母さんが
　病気だからです。」

لِأَنَّ أُمَّهَا مَرِيضَةٌ.

重要なルール

◆ 主語が代名詞でないときは、**対格**にして、「 لِأَنَّ 」の次に置きます。

135

◆ 疑問詞「なぜ＝リマーザー」と、理由を説明する「なぜなら＝リアンナ」を覚えましょう。

1. 次のアラビア語の意味を考えましょう。

① لِمَاذَا لَا تَذْهَبُ إِلَى ٱلْمَدْرَسَةِ؟

لِأَنَّنِي لَسْتُ طَالِبًا.

② لِمَاذَا لَا تَعْرِفُهَا؟

لِأَنَّهَا طَالِبَةٌ جَدِيدَةٌ.

2. 次の日本語をアラビア語にしましょう。

① なぜあなた(女)はアラビア語を学ばないのですか。
　　——なぜなら、私は忙しいからです。

② なぜ彼女は彼を知っているのですか。
　　——なぜなら、彼女は彼の母だからです。

単語チェック！

ذَهَبَ：(a) 行く

إِلَى：～へ（前置詞）

مِصْرُ：エジプト

دَرَسَ：(u) 学ぶ

اَلْعَرَبِيَّةُ：アラビア語

＝ اَللُّغَةُ ٱلْعَرَبِيَّةُ

هُنَاكَ：あそこで

أُمٌّ：母

مَرِيضٌ：病気である

مَدْرَسَةٌ：学校

طَالِبٌ：学生

عَرَفَ：(i)知っている

جَدِيدٌ：新しい

مَشْغُولٌ：忙しい

５３ 「ＡはＢだった」を作る「カーナ」

🌀66

		単数	双数	複数
三人称	男性	كَانَ	كَانَا	كَانُوا ★
三人称	女性	كَانَتْ	كَانَتَا	كُنَّ
二人称	男性	كُنْتَ	كُنْتُمَا	كُنْتُمْ
二人称	女性	كُنْتِ		كُنْتُنَّ
一人称		كُنْتُ	كُنَّا	

★　三人称男性複数形の語末のアリフは発音上無視して、「カーヌー」と読みます。

「その男は学生でした。」　كَانَ ٱلرَّجُلُ طَالِبًا.

ルール③　述部が前置詞句の場合は、対格にしません。

ルール②　述部が名詞か形容詞の場合、述部を対格にします。

ルール①　主語に対応する形のカーナを文頭に置きます。（ただし、右のページで説明するように、主語の後ろに置くこともできます。）

كَانَ ٱلرَّجُلُ فِي ٱلْبَيْتِ.

「その男は家にいました。」

137

- ◆ 「カーナ」はアラビア語の be 動詞です。
- ◆ 「A は B だ」という現在形の文章では be 動詞は不要でした。しかし、これを過去形にして「A は B だった」という文章を作るときに「カーナ」が必要になります。
- ◆ 「カーナ」にはこれ以外の使い方もありますが、まずは基本的な用法を押さえましょう。

通常の動詞と同様に、動詞（＝カーナ）から始める動詞文と名詞から始める名詞文があります。

رَجُلٌ : 男の人
（複数形）➡ رِجَالٌ

動詞文　　كَانَ ٱلرَّجُلُ طَالِبًا.

طَالِبٌ : 学生
（複数形）➡ طُلَّابٌ

名詞文　　اَلرَّجُلُ كَانَ طَالِبًا.

بَيْتٌ : 家

重要なルール

主語が三人称の場合に限って、主語よりも前にカーナを置く場合、主語の数にかかわらず単数の活用形を使用。
（通常の動詞や、否定動詞ライサの場合と同じです。）

كَانَ ٱلرِّجَالُ طُلَّابًا.

اَلرِّجَالُ كَانُوا طُلَّابًا.

1．次の日本語をアラビア語にしましょう。

① 私たち（女）は学生でした。

② あなたたち2人（女）は学生でした。

🔊67

كَانَ أَحْمَدُ يَلْعَبُ.

「アフマドは遊んでいました。」

カーナと未完了形動詞の形は主語に合わせます。

ルール 「カーナ」の後ろに、未完了形の動詞を置くと、過去進行形（「〜していた」）の文章になります。

كُنْتُ أَدْرُسُ.

「私は勉強していました。」

具体例：読んでみましょう。

عِنْدَمَا دَخَلْتُ إِلَى بَيْتِ مُحَمَّدٍ، كَانَ يَجْلِسُ عَلَى ٱلْكُرْسِيِّ.

「私がムハンマドの家に入ったとき、彼は椅子に座っていました。」

كَانَتِ ٱلْبِنْتُ تَدْرُسُ ٱللُّغَةَ ٱلْإِنْكِلِيزِيَّةَ.

補助母音

「その少女は英語を学んでいました。」

解説

◆ 「カーナ」に動詞の未完了形を後続させると、過去進行形の意味になります。

◆ 「カーナ」および未完了形動詞は、主語に合わせて活用させます。

◆ 「カーナ」（➡第53課）に未完了形の動詞（➡第49課）を組み合わせて、過去進行形の形を作ることができます。

1. 次のアラビア語の意味を考えましょう。

① كَانَا يَجْلِسَانِ عَلَى اَلْكُرْسِيِّ.

② هَلْ كُنْتُمْ تَلْعَبُونَ؟

لَا، كُنَّا نَدْرُسُ فِي اَلْبَيْتِ.

2. 次の日本語をアラビア語にしましょう。

① 彼らは勉強していた。

② あなたたち（男）は勉強していた。

③ あなた（男）は勉強していた。

④ あなた（女）は勉強していた。

⑤ 私は勉強していた。

単語チェック！

أَحْمَدُ : アフマド

لَعِبَ : 遊ぶ

دَرَسَ : (u) 学ぶ

عِنْدَمَا : ～するとき

دَخَلَ : (u) 入る

إِلَى : ～へ（前置詞）

بَيْتٌ : 家

مُحَمَّدٌ : ムハンマド

جَلَسَ : (i) 座る

عَلَى : 上に（前置詞）

كُرْسِيٌّ : 椅子

بِنْتٌ : 少女

لُغَةٌ : 言語、～語

إِنْكِلِيزِيٌّ : イギリスの

فِي : 中（前置詞）

🌀68

		単数	双数	複数
三人称	男性	يَكُونُ	يَكُونَانِ	يَكُونُونَ
三人称	女性	تَكُونُ	تَكُونَانِ	يَكُنَّ
二人称	男性	تَكُونُ	تَكُونَانِ	تَكُونُونَ
二人称	女性	تَكُونِينَ		تَكُنَّ
一人称		أَكُونُ	نَكُونُ	

「彼は学生です。」　هُوَ طَالِبٌ.　**現在**

「彼は学生でした。」　كَانَ طَالِبًا.　**過去**

「彼は学生になるでしょう。」　يَكُونُ طَالِبًا.　**未来**

使い方は、完了形である「カーナ」と全く同じです。

141

◆ 「ヤクーヌ」は「カーナ」（➡第53課）の未完了形です。

◆ 「ヤクーヌ」を使って、「AはBです」の未来形（「AはBになるでしょう」）を作ることができます。

1．次のアラビア語の意味を考えましょう。

① سَتَكُونَانِ فِي ٱلْقَاهِرَةِ غَدًا.

> 「ヤクーヌ」には、未来の意味であることを強調して、「サ」や「サウファ」（➡集中講義⑨）を付けることができます。

② سَيَكُونُ ذَلِكَ ٱلْوَلَدُ لَاعِبًا جَيِّدًا.

③ يَكُونُ أُولَئِكَ ٱلْأَوْلَادُ طُلَّابًا فِي ٱلسَّنَةِ ٱلْقَادِمَةِ.

2．次の日本語をアラビア語にしましょう。

① 彼女は来年、この大学の学生になるでしょう。

② 誰が勝者になるだろうか。

単語チェック！

طَالِبٌ：学生
（複数形）➡ طُلَّابٌ

فِي：中（前置詞）

اَلْقَاهِرَةُ：カイロ

غَدٌ：明日

وَلَدٌ：少年
（複数形）➡ أَوْلَادٌ

لَاعِبٌ：選手、プレーヤー

جَيِّدٌ：良い、良質の

سَنَةٌ：年

قَادِمٌ：次の、翌～

جَامِعَةٌ：大学

فَائِزٌ：勝者

受動態

🌀69

完了形

		単数	双数	複数
三人称	男性	قُتِلَ	قُتِلَا	قُتِلُوا
三人称	女性	قُتِلَتْ	قُتِلَتَا	قُتِلْنَ
二人称	男性	قُتِلْتَ	قُتِلْتُمَا	قُتِلْتُمْ
二人称	女性	قُتِلْتِ		قُتِلْتُنَّ
一人称		قُتِلْتُ	قُتِلْنَا	

◆ 第一形動詞の受動態・完了形は、第一・第二語根の母音が u-i になります。

◆ それ以外の部分は、能動態の完了形（➡第43課）と全く同じです。

具体例：読んでみましょう。

قُتِلَ مُحَمَّدٌ.

主語は主格で置きます。

「ムハンマドは殺されました。」

- ここでは、もっとも基本的な第一形動詞の受動態を取り上げます。
- 動詞によって異なる母音をとる部分がある能動態(第一形)とは異なり、受動態は全ての動詞で同じ型をとります。

未完了形

		単数	双数	複数
三人称	男性	يُقْتَلُ	يُقْتَلَانِ	يُقْتَلُونَ
三人称	女性	تُقْتَلُ	تُقْتَلَانِ	يُقْتَلْنَ
二人称	男性	تُقْتَلُ	تُقْتَلَانِ	تُقْتَلُونَ
二人称	女性	تُقْتَلِينَ		تُقْتَلْنَ
一人称		أُقْتَلُ	نُقْتَلُ	

- 第一形動詞の受動態・未完了形は、最初の文字の母音がダンマ(u)、第二語根の母音がファトハ(a)になります。
- それ以外の部分は、能動態の未完了形(➡第49課)と全く同じです。

具体例:読んでみましょう。

سَيُقْتَلُ مُحَمَّدٌ.

「ムハンマドは殺されるでしょう。」

単語チェック!

قَتَلَ :(u) 殺す

مُحَمَّدٌ :ムハンマド

集中講義⑨：文末の母音の無母音化

◆ 一つの文の最後の母音は、省略して無母音（スクーン）で読むことができます。

◆ 実際の会話では、ほとんどのアラブ人が文末を無母音で発音します。

「私は学生です。」 أَنَا طَالِبٌ.

| 文末の母音を無母音にして読む場合 | أَنَا طَالِبْ. |

◆ 13ページで説明したように、「ة」を無母音で読むときは発音が「ه」になります。

◆ 実際には、この「ه」は非常に弱く発音され、ほとんど聞こえない場合もあります。

「これは車です。」 هَٰذِهِ سَيَّارَةٌ.

| 文末の母音を無母音にして読む場合 | هَٰذِهِ سَيَّارَهْ. |

◆ タンウィーンの音は、文末ではなくても省略して、無母音で発音
する場合が多いです。

「新しい本」

| タンウィーンを
無母音にして読む場合 |

◆ 「ة」も、文末ではない場所であっても母音を省略して、無母音
で発音する場合があります。

「アラビア語」

「ة」を
無母音にして読む場合

🔊71

語末の母音をスクーンにします。

未完了形の最初の文字を削除し、代わりにアリフを挿入します。

「学びなさい。」

◆ 命令形の冒頭のアリフの母音は、未完了形にしたときの第二語根の母音に応じて変化します。

◆ 第二語根の母音がダンマ（u）の場合、命令形冒頭のアリフの母音はダンマ（u）になります。第二語根の母音がファトハ（a）かカスラ（i）の場合、命令形冒頭のアリフの母音はカスラ（i）になります。

「座りなさい。」

「行きなさい。」

147

◆　第一形動詞の命令形は、未完了形を所定の形に変えることで作ることができます。

> ◆　命令形は、命令する相手の性や数に応じて、語尾
> を変化させなければなりません。左ページの形
> は、男性単数に命令する場合です。
> ◆　この他には、使用頻度の高い、女性単数に用いる
> 形と、複数の人間に用いる形を覚えましょう。

（ひとりの男性に対して）
「学びなさい。」　　أُدْرُسْ

（ひとりの女性に対して）
「学びなさい。」　　أُدْرُسِي

（複数の人に対して）
「学びなさい。」　　أُدْرُسُوا

★　語末のアリフは発音上無視して、「ウドゥルスー」と
読みます。

**1.　次の動詞を男性単数、女性単数、複数を相手に想定
した命令形にしましょう。**

② نَزَلَ (i)　　　　① قَتَلَ (u)

第二形から第十形の動詞（1／2）

🔆72

	完了形	未完了形
第二形	فَعَّلَ	يُفَعِّلُ
第三形	فَاعَلَ	يُفَاعِلُ
第四形	أَفْعَلَ	يُفْعِلُ
第五形	تَفَعَّلَ	يَتَفَعَّلُ
第六形	تَفَاعَلَ	يَتَفَاعَلُ
第七形	اِنْفَعَلَ ★	يَنْفَعِلُ
第八形	اِفْتَعَلَ	يَفْتَعِلُ
第九形	اِفْعَلَّ	يَفْعَلُّ
第十形	اِسْتَفْعَلَ	يَسْتَفْعِلُ

★ 第七形から第十形の語頭のアリフは、定冠詞のアリフと同様、文章の途中では発音が消えます。

◆　第二形から第十形動詞の完了形・未完了形の形を覚えましょう。

◆　これまで学んだ動詞は、すべて第一形の動詞です。

◆　左ページの表に書かれている形が、第二形から第十形の動詞の形です。

◆　形によって用法が異なるわけではありません。

◆　それぞれの形の　ف、ع、ل　の部分が語根です。

$$\text{يَتَدَبَّرُ}$$

◆　たとえば、上の単語の意味を調べたいとしましょう。この動詞は、その形から、第五形の未完了形であることが分かります。完了形は「　تَدَبَّرَ　」、語根は　د، ب، ر　です。

◆　ですので、この動詞の意味を辞書で調べたい場合は、語根　د، ب، ر　の項の、第五形の動詞の意味を確認します。

$$\text{تَسْتَعْمِلُونَ}$$

◆　この単語は、第十形の未完了形で、語根は　ع、م、ل　です。

◆　左の表と少し形が違うのは、活用されているためです。

この単語の場合は、二人称複数を主語にとる形に活用され、最初の文字が「تَ」、語尾が「ـُونَ」に変化しています。**第二形から第十形の動詞も第一形と同じ方法で語末を変化させ活用します**（➡ 第42課、第49課）。

第二形から第十形の動詞（2／2）

もう少し具体例を見てみましょう。

أَنْزَلْتَ

◆ この単語は、第四形の完了形で、語根は ن、 ز、 ل です。

◆ 主語は二人称男性単数です。

تَتَبَادَلِينَ

◆ この単語は、第六形の未完了形で、語根は ب、 د、 ل です。

◆ 主語は二人称女性単数です。

تَكَلَّمْنَا

◆ この単語は、第五形の完了形で、語根は ك、 ل、 م です。

◆ 主語は一人称複数です。

يَجْتَمِعَانِ

◆ この単語は、第八形の未完了形で、語根は ج، م، ع です。

◆ 主語は三人称男性双数です。

◆ 第二形から第十形動詞の完了形・未完了形の形を覚えましょう。

1. 次の動詞が①第何形か、②完了形か未完了形か、③語根は何か、④主語は誰か
   考えましょう。

	第何形か	完了／未完了	語根	主語
(例) جَرَّبْتُمْ	第二形	完了形	جرب	あなたたち（男）
أَتَعَلَّمُ				
أَعْلَمُوا				
نُقَابِلُ				
اِنْكَسَرْتِ				
يُنَظِّمُ				
سَاعَدْتُمْ				
اِحْمَرَّتْ				
تَسْتَوْرِدُ				
تَقَبَّلْتُ				

59

第二形から第十形の命令形

🌀74

	完了形	命令形
第二形	فَعَّلَ	فَعِّلْ
第三形	فَاعَلَ	فَاعِلْ
第四形	أَفْعَلَ	أَفْعِلْ
第五形	تَفَعَّلَ	تَفَعَّلْ
第六形	تَفَاعَلَ	تَفَاعَلْ
第七形	اِنْفَعَلَ	اِنْفَعِلْ
第八形	اِفْتَعَلَ	اِفْتَعِلْ
第九形	اِفْعَلَّ	اِفْعَلَّ
第十形	اِسْتَفْعَلَ	اِسْتَفْعِلْ

◆ 第二形から第十形動詞の命令形は、完了形を所定の形に変えることで作ることができます。

具体例	完了形		命令形	
第二形	عَلَّمَ	「教える」	عَلِّمْ	「教えろ」
第三形	قَاتَلَ	「戦う」	قَاتِلْ	「戦え」
第四形	أَنْزَلَ	「降ろす」	أَنْزِلْ	「降ろせ」
第五形	تَعَلَّمَ	「学ぶ」	تَعَلَّمْ	「学べ」
第六形	تَنَاوَلَ	「摂る」	تَنَاوَلْ	「摂れ」
第七形	اِنْصَرَفَ	「去る」	اِنْصَرِفْ	「去れ」
第八形	اِشْتَمَلَ	「含める」	اِشْتَمِلْ	「含めろ」
第九形	اِسْوَدَّ	「黒くなる」	اِسْوَدَّ	「黒くなれ」
第十形	اِسْتَخْدَمَ	「使う」	اِسْتَخْدِمْ	「使え」

第一形の命令形（➡ 148 ページ）と同じ要領で語尾が変化します。

عَلِّمُوا   عَلِّمِي   عَلِّمْ

（複数名に向けて）　（一人の女に向けて）　（一人の男に向けて）

「教えろ」　　　　　「教えろ」　　　　　　「教えろ」

60

名詞句を作る「マー」と「マン」

🔅75

> 116ページで、関係代名詞を先行詞なしで用いて、「〜なもの・こと」「〜な人」という意味の名詞句にする用法を学びました。

اَلَّذِي دَرَسْتَهُ فِي ٱلْجَامِعَةِ

「あなたがその大学で勉強したこと」

> 関係代名詞の代わりに「مَا」を用いて、「〜なもの・こと」という意味の名詞句を作ることができます。

مَا دَرَسْتَهُ فِي ٱلْجَامِعَةِ

「あなたがその大学で勉強したこと」

هٰذَا كُلُّ مَا سَمِعْتُهُ.

「これは、私が聞いたことの全てです。」

◆ 「マー」を用いて「～なもの」、「マン」を用いて「～な人」という表現を作ることができます。

関係代名詞の代わりに「مَنْ」を用いて、「～な人」という意味の名詞句を作ることができます。

مَنْ خَرَجَ مِنْ ذٰلِكَ ٱلْبَابِ

「あの扉から出てきた人」

هٰذَا مَنْ كُنْتُ مَعَهُ.

「こちらが、私が一緒にいた人です。」

1．次の日本語をアラビア語にしましょう。

① 私があなた（男）の言葉から理解したこと

② 彼が、あなた（女）にアラビア語を教えている人
ですか。

アラビア文字練習ノート

複数の文字をつなぐ練習をしましょう。

何度も繰り返し書き写して、それぞれの文字のつなげ方に慣れましょう。

أ ب ← أب

ل ب ← لب

ب أ س ← بأس

ب ل ← بل

ع ص ا ← عصا

ب ي ت ← بيت

ب ن ت ← بنت

ن ب ا ت ← نبات

ب خ ← بخ

حب ← ب ح _____

حجج ← ج ج ح _____

دل ← ل د _____

بدأ ← أ د ب _____

صد ← د ص _____

ذنب ← ب ن ذ _____

بر ← ر ب _____

رزق ← ق ز ر _____

سر ← ر س _____

ضرر ← ر ر ض _____

ضبط ← ض ب ط _____

بطل ← ب ط ل _____

طلب ← ط ل ب _____

عن ← ع ن _____

عين ← ع ي ن _____

غي ← غ ي _____

بعد ← ب ع د _____

رغب ← ر غ ب _____

مع ← م ع _____

باع ← ب ا ع _____

فعل ← ف ع ل _____

في ← ف ي _____

طفل ← ط ف ل _____

أف ← أ ف _____

قاف ← ق ا ف _____

قلق ← ق ل ق _____

رق ← ر ق _____

دقق ← د ق ق _____

فقر ← ف ق ر _____

كل ← ك ل _____

161

كان → ك ا ن _____

لكن → ل ك ن _____

أكل → أ ك ل _____

بنك → ب ن ك _____

شوك → ش و ك _____

ليل → ل ي ل _____

كلب → ك ل ب _____

علل → ع ل ل _____

ألف → أ ل ف _____

من → م ن _____

162

أم ← أ م ـــــــــــــــــــــــــــــــــــــ

نم ← ن م ـــــــــــــــــــــــــــــــــــــ

أمم ← أ م م ـــــــــــــــــــــــــــــــــــــ

بما ← ب م ا ـــــــــــــــــــــــــــــــــــــ

نام ← ن ا م ـــــــــــــــــــــــــــــــــــــ

هدي ← ه د ي ـــــــــــــــــــــــــــــــــــــ

هدهد ← ه د ه د ـــــــــــــــــــــــــــــــــــــ

أهل ← أ ه ل ـــــــــــــــــــــــــــــــــــــ

بهم ← ب ه م ـــــــــــــــــــــــــــــــــــــ

قهر ← ق ه ر ـــــــــــــــــــــــــــــــــــــ

زهد ← ز ه د ـــــــــــــــــــــــــــــــــــــ

به ← ب ه

آه ← ء آ ه

ورد ← و ر د

قول ← ق و ل

دود ← د و د

روى ← ر و ى

قوي ← ق و ي

يوم ← ي و م

بلاء ← ب ل ا ء

فئة ← ف ئ ة

قوة ← ق و ة

164

参考文献

◆ **より詳しい文法の教科書**

榮谷温子『はじめましてアラビア語』第三書館

本田孝一『アラビア語の入門』白水社

八木久美子・青山弘之・イハーブ・アハマド・エベード『大学のアラビア語
詳解文法』東京外国語大学出版会

※ その他、入手が比較的困難なものの中にも、日本のアラビア語学習者に
愛用されている教科書があります。ぜひ、自分に合ったお気に入りの教
科書を見つけて下さい。

◆ **単語集**

鷲見朗子（編著）『例文で学ぶ　アラビア語単語集』大修館書店

名古屋外国語大学　言語教育開発センター（編）『アラビア語　はじめの
1000 語』名古屋外国語大学出版会

師岡カリーマ・エルサムニー『これなら覚えられる！　アラビア語単語帳』
NHK 出版

◆ **アラ日辞典**

池田修・竹田新（編）『現代アラビア語小辞典』第三書館

内記良一『アラビヤ語小辞典』大学書林

本田孝一、石黒忠昭（編）、ヌールッディーン・ナクシュベンディー（協力）
『パスポート　初級アラビア語辞典』白水社

◆ 日アラ辞典

内記良一『日本語アラビヤ語辞典：ポケット版』大学書林

本田孝一、イハーブ・アハマド・イベード（編）、石黒忠昭（協力）『パスポート　日本語アラビア語辞典』白水社

◆ アラビア語についての本

ケース・フェルステーヘ『アラビア語の世界　歴史と現在』長渡陽一（訳）、三省堂

長渡陽一『はじめてみようアラビア語』ベレ出版

◆ アラブ文化についての本

［概要］松本弘『現代アラブを知るための 56 章』明石書店

［歴史］佐藤次高『西アジア史：〈Ⅰ〉アラブ』山川出版社

［音楽］関口義人『アラブ・ミュージック：その深遠なる魅力に迫る』東京堂出版

［書道］本田孝一『アラビア書道の宇宙：本田孝一作品集』白水社

［食べ物］大塚和夫（責任編集）『世界の食文化〈10〉アラブ』農山漁村文化協会

［宗教］菊地達也（編）『図説　イスラム教の歴史』河出書房新社

［文学］岡真理『アラブ、祈りとしての文学』みすず書房

［映画］藤本高之、金子遊（編）『映画で旅するイスラーム：知られざる世界へ』論創社

［建築］フリードリヒ・ラゲット『アラブの住居』深見奈緒子（訳）、マール社

［宮廷］ヒラール・サービー『カリフ宮廷のしきたり』谷口淳一、清水和裕（訳）、松香堂

ا	アリフ	a		ش	シーン	sh		ن	ヌーン	n
ب	バー	b		ص	サード	ṣ		ه	ハー	h
ت	ター	t		ض	ダード	ḍ		و	ワーウ	w
ث	サー	th		ط	ター	ṭ		ي	ヤー	y
ج	ジーム	j		ظ	ザー	ḍh		ة	ター・マルブータ	t, h
ح	ハー	ḥ		ع	アイン	‘		لا	ラーム・アリフ	l + a
خ	ハー	kh		غ	ガイン	gh		ى	アリフ・マクスーラ	a 長母音
د	ダール	d		ف	ファー	f		ء	ハムザ	’
ذ	ザール	dh		ق	カーフ	q				
ر	ラー	r		ك	カーフ	k				
ز	ザーイ	z		ل	ラーム	l				
س	スィーン	s		م	ミーム	m				

著者略歴

松山洋平（まつやまようへい）

東京大学大学院人文社会系研究科・文学部 准教授。

1984年生まれ。東京外国語大学外国語学部卒業。同大学大学院総合国際学研究科
博士後期課程修了。博士（学術）。著書に、『イスラーム思想を読みとく』（筑摩書房）、
『イスラーム神学』（作品社）など。名古屋外国語大学准教授を経て、現職。

『第二外国語で学ぶアラビア語入門』

2020年3月15日　初版第1刷発行
2023年4月1日　　2版第1刷発行

松山　洋平　著

発　行　者　　亀山郁夫
発　行　所　　名古屋外国語大学出版会
　　　　　　　〒420-0197
　　　　　　　愛知県日進市岩崎町竹ノ山57番地
　　　　　　　電話　0561-74-1111（代表）
　　　　　　　https://nufs-up.jp
音声録音協力　　森　幸長
印刷・製本　　株式会社 荒川印刷
　　　　　　　ISBN 978-4-908523-26-7